Les THIBAULT 5

チボー家の人々

診察

ロジェ・マルタン・デュ・ガール

山内義雄＝訳

白水 *u* ブックス

チボー家の人々5　診察　目次

一

ユニヴェルシテ町、午後零時半。

アントワーヌは、タクシーから飛びおりると、アーチ形になった入口の中にのまれていった。《月曜日。おれの診察日だ》と、彼は考えた。

「こんにちは」

彼はふり向いてみた。ふたりの子供が、風を避けでもするようにすみのところにいた。大きいほうの子供は帽子を取っていた。そして、まるい、くるくる動くすずめのような頭と、きりりとした眼差しとをアントワーヌのほうへ向けていた。アントワーヌは立ちどまった。

「あの……お薬をいただけないかと思って……この子、病気なんです」

アントワーヌは、離れたところに立っている《その子》のほうへ近づいた。

「どうしたな、ぼうや?」

風が吹き抜けるので、マントのそではひるがえり、肩からつるされた片方の腕が見えていた。

「たいしたことじゃないんです」と、大きいほうのが、落ちつきはらったちょうしでつづけた。「べつに仕事のけがなんていうんじゃありません。でも、やっぱり印刷工場で、こんな吹出物をこしらえたんです。肩までずきずきするんですって」

アントワーヌは急いでいた。

「体温は？」

「え？」

「熱はあるのかね？」

「ええ、あるだろうと思うんです」と、年かさのほうの少年が、頭を振りふり、そして、心配そうなようすで、アントワーヌの顔をうかがいながらこう答えた。

「家へ帰って、慈善病院の二時の診察につれてってもらうように言うがいい。左手の、大きな病院だ、知ってるね？」

ぐっと引きしめられた少年の顔には、すぐおさえてのけはしたものの、そこに明らかに失望の色がしめされた。少年は、つとめて愛想よくしようというらしい軽い微笑をうかべながら、こう言った。

「ぼく、たぶん先生が……」

だが、少年はすぐに思いかえした。そして、すでにずっとまえから、不可抗力をまえにしてはいかに処すべきかを知っているといったようなちょうしで言った。

「いいえ、いいんです。なんとかなるでしょう。ありがとうございました。さ、行こう」

少年は、なんら未練がましいようすもなく微笑を浮かべ、愛想よく鳥打帽子を振ってみせてひと足往来のほうへ歩きかけた。

アントワーヌは、気になって、一瞬ためらった。

「ぼくを待っていたんだね？」

「ええ」

「だが、いったい誰に教わって来たね……？」彼は、階段に通じる戸口をあけた。「はいりたまえ。風の吹きとおしのところにいてはいけない。ところで、誰に教わって来たんだね？」

「誰にも」少年の顔は、晴ればれと輝いた。「ぼく、先生を知ってるんです、ええ！　ぼく、事務所の書生をしてるんです……あの、中庭の奥の事務所の！」

アントワーヌは、からだの悪いという少年のそばに立っていた。そして、機械的にその手を握っていた。べとべとした手のひら、燃えるような手首、それは、彼をしていつも思わず不安にさせるのだった。

「お父さんやお母さんはどこに住んでおいでだね？」

弟は、力のない眼差しを兄のほうへふり向けた。

「ロベール！」

ロベールが口をはさんだ。

「そんなもの、ないんです」そして、ちょっとまを置いてから、「ぼくたちヴェルヌイユ町に住んでるんです」

「お父さんもお母さんもない？」

「ええ」

「じゃ、おじいさんおばあさんは？」

「それも」

少年の顔は真剣だった。その目つきはすなおだった。なんらあわれみをこうといったような、ないし人の気をさそおうといったようなものなど見られなかった。そこには、なんらめそめそしたようすがなかった。むしろアントワーヌの驚いたようすこそ、子供らしく見えかねなかった。

「いくつだね？」

「十五です」

「弟さんは？」

「十三と六カ月」

《とんだやつが舞いこんだぞ！》と、アントワーヌは思った。《もう十五分で一時だ！　フィリップ先生に電話をかけなくちゃ。それから昼飯。おやじのところへ行って、そして、診察時間まえにフォブール・サン・トノレまで行ってこなくては……きょうがその日だ……》

「さあさあ」と、彼はぶっきらぼうなちょうしで言った。「見せてごらん」そして、ロベールの、うれしそうな、だが、そこになんら驚きのかげの見えない眼差しに答えないですむように、自分が先へ立って歩きながら、鍵をとり出し、階下の部屋のドアをあけた。そして、ふたりの少年を、控え室をぬけて、書斎のほうへ押しこんだ。

　レオンが、台所のしきい口に姿をあらわした。

「レオン、食事はちょっと待ってもらおう……。さ、きみ、大急ぎですっかりぬぐんだ。兄さんにてつだってもらって。そうっと……よしよし、さ、こっちへ来て」

　だいたいのところ、きれいといえそうなシャツをまくると、弱々しそうな腕。手首の上のあたりに、はっきりそれとかぎられた浅い炎腫（えんしゅ）がひとつ。すでに化膿してしまっているらしかった。アントワーヌは、時間のことなど忘れてしまって、人さし指を腫れ物の上にのせた。それから、片方の手の二本の指で、腫れ物の別の一点をじわりと押した。よし。彼は、人さし指の下に、膿汁（うみしる）の動くのをはっきり感じた。

「どうだ、ここは痛むかね?」彼は、まずはれている上膊からはじめて、わきの下に炎症を起こしているガングリオンのあたりまで腕をさわってみた。

「たいして……」と、少年はからだをこわばらせ、兄から目をはなさずにつぶやくように言った。

「そんなはずはないが」と、アントワーヌは気むずかしそうなちょうしで言った。「だが、きみはなかなか勇気があるな」彼はその目を、少年のおどおどしている目の中にそそぎこんだ。接触の火花。しばらくためらっているかに見えた信頼が、やがて彼へ向かってほとばしり出た。彼ははじめて微笑をもらした。少年はすぐに頭をさげた。アントワーヌは少年の頰をなでてやった。そしてわずかの抵抗を感じはしたが、そっとそのあごをあげさせた。

「ねえ、ほんの少しばかり切開しようと思うんだ。そうすれば、三十分もたつととても楽になる……わかったね？……さ、おいで」

少年は、圧倒されて、勇敢に二足三足歩きだした。だが、アントワーヌの目が自分から離れたと思うやいなや、たちまち勇気はぐらつきはじめた。彼は兄のほうへ、助けを求めるような顔をふり向けた。

「ロベール君……きみもいっしょにおいで！」

隣の部屋には、瀬戸のタイルやリノリウムが敷かれ、蒸気消毒器が据えられ、反射器（レフレクター）の下にはエナメル塗りのテーブルがおいてあり、必要の場合、かんたんな手術をすることができるようになっていた。レオンはこの部屋を《実験室》と呼んでいた。それは、浴室を改造したものだった。アントワーヌが、これまで弟といっしょに父の家に持っていた住まいは、そこにアントワーヌがひとりで住むようになってからでも、事実じゅうぶんとは言えなかった。ところがおりよく、彼はつい先ごろ、隣ではあるがおなじ階下に、四間からなる住まいを借りることができたのだった。彼は、そこに自分の書斎と居間とを移した。そして、そこに例の《実験室》をつくった。いままでの診察室は、患者の待合室に当てられた。両方の住まいの控え室の壁はくり抜かれ、こうしてふたつの住まいは、はいったところでひとつになっていた。

何分かの後、炎腫（えんしゅ）はすっぱり切開されてしまった。

「もう一奮発……そうら……もう少し……よし、すんだ！」アントワーヌは、ひと足身を引きながていた。

ら言った。だが少年は、蒼白になって、兄のこわばった腕の中に、なかば喪心したように身をまかせ

「おうい、レオン！」と、アントワーヌが快活にどなった。「この連中にブランデーを少し！」彼は、少しのブランデーの中に角砂糖をふたつひたした。「これをかじるんだ。きみもだ」

彼は、患者のほうへ身をかがめた。「強すぎないかね？」

「うまいです」少年は、ようやく微笑することができるようになって、つぶやくように言った。

「腕をお見せ。こわくはないさ。もうすんだって言ったじゃないか。洗浄をして、それから湿布をするんだ。これはべつに痛くない」

電話のベル。控え室にレオンの声が聞こえていた。「だめでございますよ、奥さま。先生はおさしつかえでいらっしゃいます……きょうの午後はだめでございます。ご診察日でございまして……いいえ、ご夕食まえはだめでございましょう……かしこまりました。ごめんくださいまし」

「とにかくひとつガーゼを入れて」アントワーヌは腫れ物の上にうつむきこみながらつぶやいた。「よし。包帯は少しきつめにしないといけないな……さて、兄さんのほう、いいかね、きみ、弟さんをつれて帰って、腕を動かさないように、じっと寝かしておくように言うんだ。家にはほかに誰がいるね？……誰か弟さんのせわをしてくれる人がいるんだろう？」

「います」

りんとした顔だちの中に、あくまでも決然たるところを見せている、率直な眼差しだった。きわめ

て真剣な眼差しだった。アントワーヌはちらりと時計を見た。そして、も一度好奇心をおさえてのけた。

「ヴェルヌイユ町何番地だね？」

「三十七番地ロ号」

「ロベール……そして名字は？」

「ロベール・ボナール」

アントワーヌは、番地を書きとめてから目をあげた。ふたりの少年は、彼の上に澄みわたった眼差しをそそぎながら立っていた。そこには、なんら感謝らしいものが見えていなかった。そのかわり、まったくまかせきり、まったく信じきっているといった表情が見られていた。

「さ、帰ったり。ぼくは忙しいんだから……六時から八時のあいだにヴェルヌイユ町へ寄ってガーゼをとりかえてあげる。わかったね？」

「わかりました」と、兄が言った。きわめて当然といったようすだった。「一番上の階なんです。階段をあがったま正面、三番の戸口です」

少年たちを送りだすやいなや、

「レオン、食事にしていいぜ！」

そして、電話を口によせると、

「もしもし……エリゼー、一三二番」

電話機のそば、控え室のテーブルのうえには、いろいろ約束を記した備忘ノートの、ちょうどその日のページが大きくひらかれていた。アントワーヌは、受話器を手にしたまま、身をかがめて読んでいった。

「《一九一三年――十月十三日月曜日。午後二時半、バタンクール夫人》だめだ、帰っていないや。待ってもらおう。《三時半、リュメル》これはよしと……《リュウタン》これもよし……《エルンスト夫人》知らないな……《ヴィアンゾニ……ド・ファイエル……》よし……」

「もしもし……一三二番？　フィリップ先生お帰りになりました？　こちらはチボー……」（間）「もしもし……先生でいらっしゃいますか……お食事のおじゃまをいたしますが……ご診察をお願いしたいのでございます。緊急の、そのきわめて……エッケの子供でございます……はあ、外科のエッケの……きわめて重態でございます。まったく絶望状態で。耳炎の手おくれなんでございます。それにいろいろ併発症が出てきまして。いずれお話し申しあげます。なにしろ見ていられないのでございます……いいえ、先生、ぜったい先生のお顔を見たがっているのでございます。なにしろエッケのことでございます、どうか聞きとどけておやりくださいまし……ええもちろん、寸刻を争います、これからすぐに……わたくしもそうなんでございます。月曜日、ちょうど診察日でございまして……では承知いたしました。十五分まえにお迎えにまいります……ありがとうございました」

彼は受話器をかけ、もう一度来訪者名簿を読み直しながら、紋切り型のやれやれといったようなためいきをついた。だが、得意らしい顔の表情はみごとにそれを裏切っていた。

レオンが、つるりとした顔のうえに、ばかのような微笑を浮かべながら近づいて来た。

「旦那さま、けさねこのやつが子を生みましたが」

「ほんとかい？」

アントワーヌは、おもしろずくから台所へはいって行って見た。親ねこは、ぼろをいっぱいつめたかごの中に横たわっていた。かごの中にはべとべとしたいくつもの小さな毛のかたまりがうごめいていた。それを親ねこが、ざらざらした舌で、ねぶったり、なめかえしてやったりしていた。

「何匹いるんだね？」

「七匹でございます。姉が、一匹とっといてほしいなんて申しておりました」

レオンは、家番の弟だった。二年以上もまえからアントワーヌのところではたらいていて、きわめて勤勉に仕事をしていた。口数もすくなく、顔にはしわがよっていて、年のころもはっきりしない。面長な顔の上には、まばらな、まるでうぶ毛のような薄い髪の毛が、なんとも奇怪にはえかぶさっていた。いつも伏せたままの両方のまぶたのあいだには、うつ向きかげんの長すぎる鼻が、ちょっとまの抜けたようすをあたえていて、微笑すると、それがさらに強調されてみえた。だが、こうしてまぬけに見える点こそ、わざとではないにしても、とても人を欺しやすいところで、じつは、そのかげに、懐疑的な勘のよさと、独特なユーモアとをあわせそなえた、機敏な頭のはたらきをかくしていた。

「で、残りの六匹は？」と、アントワーヌがたずねた。「水につけて殺しちまうのか？」

「いたしかたございませんもの」と、落ちつきはらったレオンが答えた。「それとも旦那さま、のこしてお置きになりますか？」

アントワーヌは、微笑して見せると、くるりとかかとの上でからだをまわした。そして、急ぎ足で、かつてジャックの部屋だったところへはいって行った。そこはいま、食堂になっていたのだった。

オムレツ、ほうれん草をあしらったエスカロープ、くだものなどが、全部食卓の上に並んでいた。アントワーヌには、ひとつひとつ料理の出てくるのを待つのがもどかしかった。オムレツには、あたたかいバターと、フライパンのいいにおいがしていた。ほんの短い休息のひととき、午前中の病院勤務と、午後の往診とにはさまれた、わずか十五分の休息時間だ。

「上からなんとも言ってこなかったかね？」

「いいえ、なんにも」

「フランクラン夫人から電話はなかったかね？」

「ございました。金曜日ということにお約束しておきました。書きこんでおきましたが」

電話のベル。レオンの声。「だめでございます、奥さま。ちょうど五時半にお約束がございまして……六時もおなじくでございます……ごめんくださいまし」

「誰だい？」

「ストックネー夫人でございます」そう言いながら、彼は肩をすくめてみせた。「お友だちのぼっちゃんのことだそうで。いずれお手紙くださるっておっしゃっておいででした」

「五時、エルンスト夫人というのは誰のことだね？」そして、相手の返事を待たずに、「バタンクール夫人にはあやまっといてもらおう。少なくとも二十分はおくれそうだから……あ、新聞をとってくれ。ありがとう」彼は時計のほうをチラと見た。「上では食事がすんだろうな？……ひとつ電話をかけてもらおうか。ジゼールを呼ぶんだ。そして、電話はここへ。コーヒーといっしょに、すぐだぜ」

彼は受話器をつかんだ。顔の緊張はゆるみ、目ははるかのほうへほほえみかけ、まるで羽ばたきをひとつしてふわりと空翔けりはじめたとでもいったように、身も心もすでに電話線のはしまで飛んでいってしまっていた。

「もしもし……ああ、ぼく……うん、だいたいすんだところなんだ……」彼は笑った。「ううん、ぶどうさ。患者からもらったんだ。とてもうまいぜ……ところでそっちは？」彼はきき耳をたてた。その顔は次第次第に曇っていった。「え！　注射のまえ、それとも後？……なにしろ、当然だというように思いこませとかなくちゃいけないぜ……」と、たちまち、彼のひたいはふたたび明るくなっていった。「ねえ、ジゼール、きみいまひとり？　あのね、きょうきみに会わなければならない用があるんだ。話したいことがあるんだよ。まじめな話だ……ここ？　よろしい。いつでもいいや。三時半過ぎ、いいね？　レオンが通してくれるから……じゃ待ってるぜ！　よし……これからコーヒーだ。それをすまして上へ行くから」

二

アントワーヌは、父の住まいの鍵を持っていた。彼は、ベルを鳴らさずに納戸のところまで通って行った。

「旦那さまは、お書斎におつれ申しあげてございます」と、アドリエンヌが答えた。

彼は、つまさき立って歩きながら、薬品のにおいのただよっている廊下を通って、チボー氏の化粧室までやって来た。《この家に足を踏み入れるが早いか、なんだか妙に圧迫されるような気持ちになるな……》と、思った。《しかもおれは医者なのに！……だが、ここではどうもほかのところと同じ気持ちになれないんだ……》

彼の視線は、まっすぐに、壁にピンでとめられた体温表にひきつけられた。化粧室は、まるで薬局さながらだった。棚の上やテーブルの上には、ガラスびん、陶器の容器、脱脂綿の包みなどがおかれていた。《ひとつ尿びんを見てやろう。やっぱり思ったとおりだ。腎臓のはたらきがとても弱い。いずれ分析すればわかるんだが。さて、モルヒネはどんなところまでいってるかな？》彼は、アンプレの箱をあけてみた。アンプレのレッテルは、あらかじめ、病人に気づかれないように、そっと細工してあるのだった。《二十四時間に三センチグラム……もうこんなところまできているのか！……ところで、童貞さん（看護の童貞）はメートル・グラスをどこへおいたろう？　あ、ここにあった！》

　彼は、敏捷な、ほとんどうれしそうな身ぶりで調べにかかった。そして、すでに試験管をアルコールの火にかけていたとき、とつぜん戸のきしんだ音に胸を高鳴らせ、あわててうしろをふり返った。だが、それはジゼールではなかった。《おばさん》だった。彼女は、年とった木こりの女房といったように、からだをふたつ折れにしながら小きざみ足でやって来た。しかも、からだがすっかりくぐまっていたので、首をいくらねじ向けても、すす色をした狭い眼鏡のかげの溌剌とした眼差しは、やっとアントワーヌの手のあたりまでとどくかとどかないといったくらいだった。なにかにちょっと驚いたりすると、それは、白髪を分けたあいだにまっ黄いろくみえている、小さな、ぞうげのようなひたいを機械的に動かすことによってしめされるのだった。

「おお、アントワーヌさんだった」と、彼女はためいきをつくように言った。そして、なんのまえおきもなく、首を動かすためにふるえる声で、「きのうから、もうなんとしてもがまんできなくなりましてね！　セリーヌさんたら、スープ二碗、牛乳を一リットル以上も、すっかりむだにするんですからね！　十二スーもするバナナをむいてあげるんですよ。しかも、ご病人は指一本おつけにならない……しかも、残ったものは、そのまま捨てなければならないんですよ。つまり黴菌がついてるっていうわけでね！　ええ、わたし、あの人のことなり、またほかの誰それのことなり、べつにどうこう思ってなんぞいやしませんさ。あの人は、たしかにりっぱな人ですよ……でもねえ、アントワーヌさん、これからはどうかやめるように言ってやってくださいましよ！　なにしろ相手はご病人だ。むりにあげなくったっていいんですよ！　ほしいとおっしゃるまで、待ってたらいいんですよ！　それをいつでも、あれやこれやとおすすめする！　けさなんか、アイスクリームをおすすめしましてね！　ねえ、アントワーヌさん！　アイスクリームをおすすめするなんて！　ひといきに心臓を凍らしてしまおうとでもいうのかしら！　しかもクロティルドに、いつでも氷屋に駆けつけられる暇があるとでもいうのかしら！　こんな大家内のおまかないをしているのに！」

アントワーヌは、気をねらして、ただ口の中で何やらもぐもぐ言いながら、その観察を終わるところだった。《なにしろ二十五年間というもの、おやじの饒舌の波に押し流されてきた女なんだ》と、彼は考えた。《つまり、そのとりかえしをやってるんだ……》

「あたし、何人の口をまかなってるかご存じですかい？」と、《おばさん》は言葉をつづけた。「童貞さんと、それにジゼールまで入れて、何人の口をまかなってますかね？　台所が三人、奥が三人、それにお父さま！　数えてごらんなさい！　七十八にもなって、しかもこんな……」

彼女は急いで飛びすさった。それはアントワーヌが、手を洗いにいこうとしてテーブルを離れたからのことだった。彼女はいつも、それほど病気とか、伝染とかいうことを恐れていた。そして、一年このかた、ずっと大病人のそばで暮らし、看護婦や医者たちに接し、いつも薬のにおいをかがなければならなかったことは、彼女の上に一種毒素とでもいったような結果をおよぼし、しかもそれは、毎日毎日、すでに三年まえからはじまっている全体的な衰弱に向かって拍車をかけていたのだった。彼女自身も、そうした老衰についてある程度まで気がついていた。「ジャックさんがいなくなってから」と、嘆くように言うのだった。「あたしもすっかりだめになった」

だが、アントワーヌが、じっと動かないでシャボンで手を洗っているのを見ると、彼女は、おそるおそるふた足ばかり洗面台のほうに歩みよった。

「セリーヌさんに言ってあげてくださいよ！　あなたがお言いだったら、たしかにきくにちがいないから！」

彼は、おれあうように《よし》といったようすをした。そして彼女のことなどすっかり忘れて、その部屋から出ていった。彼女は遠ざかっていく彼の足をながめていた。それを、やさしい眼差しで見送っていた。アントワーヌ——彼だけは、ほとんどいつも口答えをしないので、けっして反対したりしないので、彼女にとって、じつにこの《地上での慰め》だった。

彼はふたたび廊下を通った。つまり、いま来たばかりというようにして、玄関から書斎にはいろうと思ってのことなのだった。

チボー氏は、童貞さんとふたりきりだった。《さてはジゼールは自分の部屋にいるとみえるな》と、アントワーヌは思った。《では、おれの足音を聞いたはずだ……逃げているんだな……》

「お父さん、こんにちは」彼は快活なちょうしで言ってのけた。彼はこのごろ、病人のまくらもとに近づくとき、いつもこうしたちょうしをよそおうことにきめていた。「セリーヌさん、こんにちは」

チボー氏はまぶたを上げた。

「ああ、おまえか？……」

父は、窓のそばに寄せた大きなつづれ織の安楽椅子に腰かけていた。頭は、両肩にとって重すぎるようになり、あごは童貞（スール）セリーヌが首のまわりに結んでくれた前掛けの上にぐったりたれ、ふたつ折れになったからだは、高い椅子のもたれの両側に立てかけた二本の黒い松葉づえを、とほうもなく長く思わせていた。擬（ブスド）ルネサンスふうのステインド・グラスは、童貞セリーヌの動いている角ずきん（コルネット）の上に、そのにじのような色をそそぎかけていた。そして、タピオカ・オ・レーの皿が湯気を立てている小さなテーブル・クロースの上に、ぶどう酒色の斑点を落としていた。

「さあさあ！」と、童貞セリーヌが言った。そして、ポタージュをひとさじすくいいれると、皿のはしでしずくをきり、まるで赤子に、やしなってやるといったように、快活に「そうれ！」と言いながら、病人の、だらけきった唇のあいだにさじを入れ、病人が首を振りむけるよりも早く、中のものをそこへあけた。ひざの上におかれた老人の両手は、がまんできないといったようにぶるぶるふるえた。彼には、こうして、自分で物をたべられないところを見られるのが、自尊心からいってたまらなかった。彼は、えらい努力で、童貞セリーヌの持っていたさじをつかんだ。だが、ずっとまえからしびれたままで、いまはむくみさえきている彼の指は、とてもいうことをきかなかった。さじは、彼の手からのがれて敷物の上に落ちた。彼は、荒々しい手ぶりで、皿を、食卓を、また童貞セリーヌを押しゃった。

「腹はへっとらん！　むりやり食わされるのはまっぴらだ！」彼は、さも保護を求めるというかのように、息子のほうをふり向きながら言った。そして、アントワーヌの沈黙に励まされてにちがいなかった、童貞(スール)セリーヌのほうを向いて、《すっかり下げてしまえ！》といったような気むずかしい目まぜをして見せた。童貞セリーヌは、さからいもせず、ひと足あとにすさって、彼の視野から身をはずした。

病人はせきをした。（彼は、たえまなしに、かわいた、機械的な、べつにむせこむでもない小さなせきにさまたげられていた。そして、そのたびごとに、こぶしを握りしめ、とざしたまぶたを痙攣させていた。）

「なあ」と、とつぜんチボー氏は、恨みでもはらそうというように言った。「ゆうべと、それにけさがた、吐き気があったぞ！」

アントワーヌは、自分が横目づかいに見まもられているのを感じた。そして、なにげないようすをした。

「そうですか？」

「おまえ、当然のことと思っているのか？」

「じつは、そうなるだろうと思ってました」と、アントワーヌは、微笑を浮かべながら言葉たくみにかわしてしまった。（彼はいつもたいした努力を感じないで自分の役割を演じていた。ほかのどんな病人にたいしても、いままで、これほどまでにがまんづよい同情をしめしたためしはかつてはなかった。彼は毎日、しかもしばしば朝と晩とにやって来た。そして、そのたびごとに、傷の包帯をまきかえるとでもいったように、飽きることなく、その場かぎりの、だが筋のとおった理屈をでっちあげていた。そして、そのたびごとに、いつも変わらぬ確信のあるちょうしで、いつもおなじような安心させる言葉をくり返していた。)「だってお父さん、もう若い者の胃袋とはちがいますよ！　もうかれこれ八カ月、やれ水薬、やれ散薬と、薬攻めにされたんですから。いまごろようやく疲れてきたのが、せめてめっけものというべきですよ！」

チボー氏は、口をつぐんだ。彼は考えこんでいた。彼は、すでにこの新しい考えによって元気づけられていた。そして、責任を物なり人なりにかずけ得ることによって、ほっとした気持ちになっていた。

「そうだ」と、チボー氏は、音をさせずに、その大きな両手を、打ち合わせながら言った。「あいつら、おれにいろんな薬をのませて、このおれを……あ、痛ッ、足が痛むのだ！……あいつら……おれの胃袋をだいなしにしてしまったんだ！……あ、痛ッ！」

痛みは、あまりにとつぜんであり、あまりに鋭かったため、瞬間顔のあらゆる表情がくずれてしまった。彼は上体を横に倒した。そして童貞セリーヌ(スール)とアントワーヌの腕にもたれながら、足をぐっとのばして、焼きつくような痛みの炎をようやくそらすことができた。

「おまえ言っとったな……テリヴィエの血清が……この坐骨神経痛にきくにちがいないって！」と、

彼はほえ立てた。「ところがどうだ、よくなってきたようかな？」

「よくなりました」と、アントワーヌは冷然と答えてのけた。

チボー氏は、アントワーヌのほうにぽかんとした眼差しをそそいだ。

「ご自身でも、火曜日このかた、ずっと苦しくなってきたと言っておいででした」と、童貞（スール）セリーヌが高い声で言った。彼女は、相手に自分の言葉をわからせるため、突拍子もない高い声で物を言う習慣になっていた。そして、この機会に、得たり賢しとタピオカをひとさじ、病人の口の中へ送りこんだ。

「火曜日からだと！」老人は、いっしょうけんめい思いだそうとつとめながら、つぶやくように言った。そして、そのまま口をつぐんだ。

アントワーヌは、黙りこみ、悲しみに胸をしめあげられながら、げっそり衰えの見えはじめた父の顔をながめていた。父の心の中の努力は、あごの筋肉をぐったりさせ、まゆげをぐっと引き上げさせ、まつげをたがいにしばだたかせていた。老人は、ただ自分がなおるということを信じたかった。そして事実いままで、少しもそのことを疑っていなかった。ちょっと気をとられているあいだに、またもや牛乳をいっぱいそそぎこまれてしまった。彼はムッとして、いかにもがまんできないといったように童貞セリーヌを押しのけた。彼女は今度は我をおって、ようやく前掛けをはずしてくれた。

「やつらはおれの胃袋をだいなしにしちまったのだ」チボー氏は、童貞セリーヌにあごのあたりをふいてもらいながらくり返した。

だが、彼女が盆をもって行くやいなや、彼は、さもふたりきりでいられるこのちょっとした瞬間の到来を待ってでもいたかのように、いっぽうのひじの上に勢いよくからだをあずけ、おたがい気心がよくわかっているといったような微笑をもらした。そして息子に、もっとそばに来るように合図をした。

「りっぱな娘さんだよ、あの童貞(スール)セリーヌは」と、父は、はっきりそう思いこんでいるらしいちょうしで話しはじめた。

「じつにみあげた娘さんだ、なあ、アントワーヌ？……われわれ実際どれほど……感謝してもしたりないほどだ。だが、あの人が属している修道院のことを考えるとき、いったい……？ そうだ、修道院長が、おれにいろいろ尽くさねばならぬ気持ちになっていることは、このおれにもわかっている。だからこそなおさらなのだ！ おれはどうも気がとがめる。ほかのもっとたいせつな、おそらくもっとさしせまっている、そして苦しんでいる病人もあるだろうと、こうしていつまでもその好意を乱用していいものだろうか！ どうだ、おまえそうは思わないか？」

アントワーヌが、どうやら反対の返事をしそうなのをみた父は、さっと手まねで押しとどめた。そして、せきのため、たびたび言葉をとぎられながら、いかにも殊勝らしいようすであごを突きだして言葉をつづけた。

「もちろん、きょうがあすにというわけではない。だが、おまえどう思うな……やがて……おれがはっきり快方に向かいはじめたらすぐに……あれを帰したほうがよくはないかな？ おまえにはわかるまい、いつも誰かにそばについていられることは、実もってとてもつらいことだ――なあ、帰していいときまったら、さっそくそうしてやろうじゃないか?」

アントワーヌは、返事を口にする勇気もなく、ただ賛成の合図だけをくり返した。自分が、かつて青春の力をあげてぶつかりつづけていた不撓不屈な権力が、いまやこんなになってしまっている！ほんのこのあいだうちのことだったら、この暴君は、一議におよばずうるさい看護婦を追っぱらってしまっていたにちがいない。それがきょうでは、すっかり弱り、いじも張りもなくなっているのだ……こうした時、その肉体的の衰えは、アントワーヌが、指でいろいろな器官の衰弱を探るときにもまして、さらにはっきりしめされているのだった。

「もう行くか?」と、アントワーヌの立ち上がったのを見て、チボー氏は投げだすように言った。そのとがめるような言葉の中には、残り惜しいといった気持ち、たのむといった気持ち、ほとんどやさしさとでもいいたいようなものがこめられていた。アントワーヌは、それに心を動かされた。

「ざんねんです」と、微笑しながら言った。「きょうはずっと約束がありまして。なんとかして、夕方もう一度やって来ましょう」

彼は、父にキスしようと近づいた。これは、つい近ごろになってからの習慣だった。ところが、老人は向こうをむいてしまった。

「行くがいい……お行き！」

アントワーヌは、なんとも答えずに出て行った。

控えの間のところで、《おばさん》は、高い椅子に妙なかっこうで腰かけながら、彼の来るのを待っていた。

「アントワーヌさん、ちょっとお話があるんですよ。セリーヌさんのことでお話がね……」

だが、じつのところ、彼にはもうこれ以上がまんできなかった。外套と帽子をひっつかむと、彼はパタリとドアをしめて出て行った。

踊り場の上に立ったとき、一瞬ぐったりした気持ちになった。そして、やおら外套を着ようと気ばったとき、彼はたまたま、歩兵が行進をつづけようと重い背嚢(はいのう)を揺り上げるときの、腰のひねりを思いだした……

家の外での生活、乗物、秋風に向かって歩いて行く通行人の姿は、彼をふたたび快活にさせた。

彼は、タクシーを拾いに歩いて行った。

三

《二十分まえだ》自動車が、マドレーヌ寺院の大時計の前にさしかかったとき、アントワーヌはこう思った。《時間きちきちといったところだな……なにしろ〈おやじ〉のきちょうめんさときたら！たしかにもうしたくをして待っとられるにちがいない》

フィリップ博士は、まさに書斎の戸口に立っていた。

「ようチボー君」と、彼はうなるように言った。そのポリシネル（道化役者）ふうのだみ声には、いつもなにかしら人をばかにするようなものがこめられているようだった。

「きっちり十五分まえだ。さ、出かけよう……」

「まいりましょう」と、アントワーヌは快活に答えた。

彼にとって、フィリップ博士のお伴をすることはいつもうれしくてたまらなかった。彼は、引きつづき二年間、博士の配下でつとめていた。そして、毎日毎日この大先達に親しく接して暮らしてきた。やがて、彼の所属が変わった。それでも彼は、引きつづき《おやじ》との接触を保っていた。それ以後彼にとって、誰ひとりこの《おやじ》にとってかわるべきものはなかった。みんなはアントワーヌを呼んで《フィリップの弟子のチボー》と言っていた。たしかに彼の弟子だった。その後継者、その精神上の息子だった。と同時に、しばしばその相手でもあった。すなわち、それは老練にたいしての若さであり、慎重にたいしての大胆さ、喜んで危険をあえてするところの精神だった。こうして七年間にわたり、ふたりのあいだに職業的協力と友情によって打ちたてられた関係は、いまやくつがえそうにもくつがえし得ないものになっていた。フィリップ博士のそばに身をおくと、アントワーヌの人格は、われ知らず、なにか量的に減少するような印象を受けた。そして、これまで、独立安全な存在だった彼は、たちまち後見される立場に落ちてしまうのだった。しかも、それは彼にとってなんら不愉快なものではなかった。《おやじ》にたいする彼の愛着は、その自負心の満足によってさらに強められていた。すなわち、誰ひとり異議をさしはさむもののない《おやじ》の価値、それにいっぽう《おやじ》がとかく他人にたいして気むずかしいという評判は、アントワーヌにたいする《おやじ》の親しさを大いに価値づけてくれるところのものだった。師と弟子とがいっしょにいるとき、そこにはいつもおだやかな気分がただよっていた。ふたりにとって、人類一般は明らかに、無感覚な連中や無能力者からなっていて、自分たちだけが、運よくそうした一般法則からのがれることができたのだといったように思われていた。平素あまり開放的とは言えない《おやじ》の、アントワーヌにたいする態度、その信頼、その心づくし、何かしゃれを言ってはそれを強調しようとしての微笑なり目ばたきなり、ないしなれないものにはわからない独特の言葉づかいなどから考えても、どうやら《おやじ》は、アントワーヌだけはなんでもかってに話すことができ、またアントワーヌからだけは、なんでも正しくわかってもらえると信じきっているらしかった。ふたりのあいだには、何か意見の不一致が見られるような場合もきわめてまれであり、しかも、それはいつもおなじ原因によるものだった。アントワーヌは、しばしばフィリップ博士にたいして、博士が自分で自分にだまされていること、博士がその懐疑主義のほんの当座の思いつきにすぎないことを、さも根本的な判断ででもあるかのように思いこんだりすることを非難した。あるいはまた、ふたりでいろいろ意見の交換をしながら、最初意見の一致を見たかと思うと、フィリップ博士はとつぜんくるりと大転換をこころみ、ふたりがいままで論じあっていたことをちゃかしてのけ、《角度を変えて考えてみると、いままでふたりで考えたことなんか、要するに愚にもつかない話だな》なんて言ってのけたりするのだった。それはつまり、《そんなことなど、考えてみたってはじまらない。断定なんて意味がないさ》ということに帰着するのだった。するとアントワーヌは憤然とする。こうした態度は、彼にとってじつにゆるしがたいものに思われるのだった。それは彼をして、肉体上の疾患とおなじ程度に、苦しい思いをさせるのだった。そうしたとき、彼は体よく《おやじ》をまいて、いそいで自分の仕事に立ちもどった。そうして、すべてを忘れさせてくれる活動力の中に、ふたたび落ちつきを見いだそうとするのだった。

ふたりは、踊り場のところでテリヴィエに出会った。テリヴィエは、さしせまった相談ごとがあって、《おやじ》に会いに来たのだった。テリヴィエはアントワーヌよりも年長で、かつておなじくフィリップ博士の助手をつとめ、いまは、一般医療の仕事にしたがっている。そしていま、チボー氏を診察しているのも彼なのだった。

《おやじ》は立ちどまった。軽く前こごみになり、じっとしたまま、両腕をだらりとさげ、やせたからだを包んだ着物をだぶだぶさせ、まるでひもを引き忘れたたけの高いからくり人形といったような彼の姿は、ずんぐりした、小ぶとりの、いつもからだを動かしながら、すぐにも微笑をうかべたがる相手にくらべて、じつに珍妙な対照をしめしていた。光線は、階段の窓から、このふたりをま正面から照らし出していた。そして、ひと足あとにさがっていたアントワーヌは、自分のいやというほど知りつくしている人を、往々急に新しい目でながめるときのような興味をもって、いまさらのように《おやじ》をじっとながめていた。ちょうどそのとき、フィリップ先生は、ぐっとそびえたまゆげにかくれている明るい両眼の、その刺すような、いつにかわらぬ無遠慮な眼差しでテリヴィエを見すえていた。あごひげこそごま塩になっていたが、まゆはあいかわらず黒々としていた。それに、そのあごひげというのがものすごいやぎひげで、まるでつけひげとでも思われそうな、よれよれのふさのようなやつがあごにかかっているのだった。それにまた、先生にあっては、その何から何までが、相手を不愉快にさせ、相手をじりじりさせずにはいないかのようだった。だらしのない着物の着方、無愛想な応対、そのからだつき、長すぎる赤っ鼻、笛を吹くような呼吸、にんまり口をあけたところ、それに、しなびて、いつもぬれている唇など。唇からは、しゃがれた、鼻にかかった声が流れだし、それがおりおり急にうわずっては、なにかしら皮肉な言葉、辛辣骨を刺すような言葉を吐きだす。そうしたとき、まゆげのやぶだたみの奥で、さるのようなひとみがきらめくのだった。それは、あくまでも孤独な、人にわかってもらう必要のない快楽のきらめきだった。

だが、いかにとっつきが悪かろうと、それにへきえきして引きさがるものは、初対面の人たちか、ないしばかなやつらにかぎられていた。アントワーヌもみとめているように、じっさい臨床家として彼ほど患者からたのもしがられ、教師として彼ほど同僚からみとめられ、生徒たちからわいわい騒がれ、また病院の口やかましい若手たちからも尊敬されているものはほかになかった。このうえなく辛辣な彼の警句は、人生を衝き、人間の愚かしさを衝いた。それによって傷つけられるものは、愚者のほかになかった。人にしてひとたび彼がその職務を行なっているのを見ると、そこに、けちな了見や心からの侮蔑などを伴わない知能の輝きばかりでなく、さらに進んで、日ごと目にふれるものによって痛ましく心を傷つけられている、燃えるような感受性の所有者であることを感じさせられずにはいなかった。そして人々は、彼の奇想天外な皮肉のはげしさにしても、これは憂鬱にたいする勇ましい抵抗であり、夢を見ていない同情心の裏側をしめすものであり、また、彼をしてばかなやつらの怨嗟の的にさせている辛辣な皮肉にしても、よく見れば、けっきょく彼の哲学のほんの上っつらをしめしたものにすぎないことに気がつくのだった。

アントワーヌは、ふたりの話に、ただうわの空の気持ちで耳をかしていた。話というのは、テリヴィエが預かっている患者のことで、きのう《おやじ》が診察に行ってやったのだった。どうやらなかなか重症らしい。テリヴィエは、自説をとって下らなかった。

「いかんよ」と、フィリップ博士は言いきった。「なあきみ、ぼくならせいぜい一ツェー・ツェー(C.C.)といったところだ。むしろその半分かな。それも二度にわけてだね」こうした穏健な勧告にたいして、相手があきらかに反対の気勢をしめしていきりたつのを見ると、博士は相手の肩の上に冷静に手をのせながら、鼻にかかった声で言った。

「なあテリヴィエ君、患者もこうしたところまでくると、そのまくらもとにはただふたつの力だけが戦っているわけなんだ。いわく自然、いわく疾患。医者は、やって来て、ただいきあたりばったりにたたいてみる。丁と出るか、半と出るかだ。うまく病気にぶつかったら、それは丁。万一自然にぶつかったら、それは半だ。つまり患者はmoriturus（ラテン語。《死ぬ。助からぬ》）だ。けっきょくこうしたばくちなのさ。と、いうわけで、人間誰しもわれわれの年になると、用心ぶかくなってくるんだ。あまり強くたたかないようになるんだな」彼は、ねっとりした音をさせてつばをのみこみながら、しばらくのあいだ身動きもしないでいた。彼は、目をしばだたきながらテリヴィエの目を求めていた。やがて、相手の肩にのせていた手をひっこめると、アントワーヌのほうへいたずらしい目くばせをしてみせた。そして、階段をおり始めた。

その背後から、アントワーヌとテリヴィエとはいっしょに並んでおりて行った。

「お父さんはどうだね？」と、テリヴィエがたずねた。

「きのうから吐き気がある」

「ふうん……」テリヴィエは、ひたいにしわをよせながら口をとがらせた。ちょっとした沈黙の後で彼はふたたびこうたずねた。「最近足のほうを見なかったか？」

「見なかった」

「おととい見たが、少しむくみが増したようだ」

「蛋白かな？」

「静脈炎じゃないかと思う。きょうの夕方、四時と五時のあいだに行こうと思う。きみ、いるかしら？」

フィリップ博士の自動車は戸口のところで待っていた。テリヴィエは、別れのあいさつをすますと、おどるようにして帰っていった。

《おれも、タクシーに乗るだけの金で》と、アントワーヌは考えた。《自家用の小型自動車でも買ったほうがりこうだな……》

「チボー君、行き先は？」

「フォブール・サン・トノレでございます」

博士は、寒そうなようすで車の中に身をうずめた。そして、運転手が車を出すか出さないうちに、

「急いでひととおり話を聞かせてもらおうか。患者はほんとに絶望かね？」

「絶望でございます。月足らずで生まれた、今年ふたつになる女の子でございます。みつ口で、口蓋が先天的に割れております。エッケは、この春自分で手術をいたしました。それに心臓の機能がふじゅうぶんでございます。おわかりいただけましたか。ところがとつぜん、急性耳炎を起こしました。田舎に行っていたあいだのできごとでして。なにしろ、夫妻にとってはひとりっ子なので……」

走り去ってゆく町々のすがたを遠くぼんやり見まもっていた博士は、同情にたえないようなうなり声を立てた。

「……しかもエッケの女房は妊娠七カ月でございます。それもだいぶむずかしい妊娠のようでござ

いまして、その点彼女もじつに不注意だと思います。なんにしても、またなにかおこすといけないというので、エッケは女房にパリを離れさせ、メーゾン・ラフィットに——ちょうどエッケ夫人のおばの貸してくれた家に住まわせておいたのでございます。わたくし、その人たちとは弟の友だちということで自然知りあいになりました。耳炎は、そこでおこったのでございます」

「いつのことだね？」

「存じません。乳母もなんとも申しませんでした。それに、たしかにわからなかったのでございましょう。付きっきりで看病していた母親にも、最初少しもわかりませんでした。そのうち、歯でもぐあいが悪いのだろうと思いました。ところが土曜の晩になって……」

「おとといだね？」

「おととい、エッケはいつものように、日曜をすごしにメーゾン・ラフィットへ出かけて行って、たちまち娘の重態に気がつきました。患者用自動車を見つけますと、彼はその夜のうちに女房と子供とをパリにつれもどりました。パリに着くなり、わたくしのところへ電話をかけてよこしました。わたくしは日曜の朝起きぬけに行って子供をみました。わたくしは、気をきかして耳鼻科のランクトーを呼んでおきました。すでに、あらゆる併発症がおこっていました。乳嘴突起炎（にゅうし）はもちろんのこと、側方静脈竇炎（とくえん）、そのほかいろいろ……きのうから、あらゆる手当をつくしました。しかし、なんの効果もございません。一刻一刻、悪化の一路をたどっております。けさになると、脳膜炎の症状があらわれました……」

「手術は？」

「不可能らしく思われます。ゆうべ、エッケに呼ばれたペショもはっきりそう申しておりました。心臓の状態がとても手術を許しません。目下のところ、あの苦しみ――あの恐ろしい苦しみをやわらげるため、氷以外になんの手段もございません」

フィリップ博士は、あいかわらず遠くを見つめながら、ふたたび嘆息の声をもらした。

「わたくしたち、ここまでの手当をいたしました」と、アントワーヌは、不安げなようすで言った。「これから先を、先生にお願い申したいのでございます」彼は、ちょっと黙っていたあとで言葉をつづけた。「だが、じつを申しますと、せめてひとつの希望として、どうかわたくしたちの行くのが手おくれになって……万事終わってしまっていてくれればいいと思うんでございますが」

「エッケは、もう希望を持ってはいないのかね？」

「ええ、もうすっかりあきらめております！」

博士はちょっと口をつぐんだ。ついで、彼はその手をアントワーヌのひざの上においた。

「チボー君、そう断定的な言いかたをするものじゃない。なるほどエッケ君は、医者たる意味においては、もうなんら施すべきもののないことを《知る》べきだ。だが、父親たる意味においては、だ……わかるかね、人間は、事態重大であればあるだけ、とかく自分と隠れんぼうをしたがる……」彼は、顔をしかめて、さとりきったような微笑を浮かべた。そして、鼻にかかった声で言った。「しあわせなことに、な？　しあわせなことに……」

四

エッケの住まいは四階だった。

エレヴェーターの音を聞いて、踊り場のところのドアがあいた。ふたりは、待ちに待たれていたのだった。でっぷりふとり、白いブルーズを着た男、その黒いひげによってユダヤ人らしいようすの強くしめされているひとりの男が、アントワーヌの手を握った。アントワーヌは、彼をフィリップ博士に紹介した。

「イザーク・ステュドレル君でございます」

かつて医学生だったその男は、その後医学方面とはすっぱり手をきっていたが、それでも医学関係のさまざまな場所に顔を見せていた。彼は、昔の仲間であるエッケにたいして、盲目的な親愛の情と動物的な愛着とをささげていた。そして、エッケから、急に帰って来たという電話をもらうやいなや、万事をなげうって子供のまくらもとに駆けつけて来たのだった。

ドアというドアをあけ放したエッケの住まい、この春かたづけたそのままの彼の住まいは、何かしらうす気味のわるい感じだった。窓掛けがないので、よろい戸がとざされていた。いたるところに電灯がともされていた。そして、おのおのの部屋の中央、天井灯のあからさまな光の下には、上に白い布をかぶせた家具の山が、まるでいくつもの子供の葬龕ででもあるかのように思われた。エッケに知らせるため、ステュドレルがふたりを残して出ていった客間のゆかの上には、口をぽかんとあけ、半分からになったトランクのまわりに、いろいろなものが雑然と、とり散らされていた。

さっと風が吹きこむといったように、ひとつのドアがあいた。そして、しどけない姿をした若い女が、不安に顔をこわばらせ、美しいブロンドの髪をふり乱しながら、重い足どりの許すかぎりの早さでふたりのほうへ駆けよって来た。彼女は、片方の手で腹をおさえていた。そして、ほかのほうの手では、ころばないように、ペニョワールのひだをたくし上げていた。呼吸がはずんでいるため、彼女には口をきくことができなかった。その唇はふるえていた。彼女は、つかつかとフィリップ博士のほうへ歩みより、涙をたたえた大きな目に、無言の哀願をこめながら、じっと博士の顔を見つめた。胸を刺すようなその哀願のようすに、博士はあいさつをすることさえ忘れていた。博士は、彼女をささえてやり、落ちつかせてやろうとするかのように、機械的に両手を差しだした。

ちょうどそのとき、玄関へ向かったドアからエッケがつかつかとはいって来た。

「ニコル！」

声はいかりにふるえていた。顔色は、まっさお、そして、顔をひきつらせ、フィリップ博士のほうには目もくれず、おどりかかるように女のほうへ飛んでいったと思うと、いきなり彼女を引っつかみ、そのからだをはげしくゆすり上げ、どこにそんな力がひそんでいたかと思われるような力で、彼女を腕に抱きあげた。彼女はしゃくり泣きながら、ただされるままになっていた。

「ドアをあけてくれたまえ」彼は、おりから手をかそうとして駆けよったアントワーヌの耳にささやいた。

アントワーヌは、ふたりのあとからついて行った。彼が、あおむけになった頭をささえてやっていたニコルの唇からは、なにかしら悲しそうなつぶやきがもれていた。彼には、とぎれとぎれに、つぎのような言葉が聞きとれた。「あなた、けっして許してくださらないのね……みんなあたしが悪いんだわ、みんな……あの子は、あたしのせいであんな片輪に生まれついたの……あなた、ずいぶん長いことうらんでいらしった！……そして、今度もやっぱりあたしが悪いの……もしもあたしが気がついたら。そして、すぐに手当をしてやったら……」部屋にはいるとアントワーヌは、そこにとり乱された大きなベッドを見た。彼女は、医者のくるのを待っていて、禁止を無視して飛び出したものにちがいなかった。

彼女は、アントワーヌの手を握っていた。そして、絶望的にそれにかじりついていた。

「後生でございますわ……フェリックスはあたしを許してくれないと思いますの……あの人には、もうあたしを許してくれられそうもないんですの、もしも……あなた、どんなことでもやってみてくださいまし！　あの子を助けてやってくださいまし！　お願いでございます！……」

夫は、彼女をそっと横にさせた。そして、上から夜具をかけてやった。彼女はアントワーヌの手をはなすと、黙ってしまった。

エッケは、彼女の上に身をかがめた。アントワーヌは、ふたりの眼差しに気がついていた。妻の眼差しはゆらめいており、乱れていた。夫のそれは荒々しかった。

「起きてはだめだぞ。わかったな？」

彼女は目をつぶった。すると、夫はさらに身をかがめ、唇を軽く彼女の髪の毛にふれた。そして、とざされたまぶたの上に、約束の封印とでもいったように、またあらかじめあたえてやるとでもいったように、キスをひとつしてやった。

それから、彼は、アントワーヌを拉して部屋を出た。

ステュドレルに案内されてすでに幼児のそばにいる《おやじ》の姿をふたりが見いだしたとき、博士はすでにモーニングをぬぎすてて白い診察着をつけていた。博士は、この世の中に子供と自分とふたりきりとでもいうように、落ちつきはらい、顔になんらの感情もあらわさずに、最初さわってみただけでもうどんな手当もむだと知りながら、なお綿密な、方式どおりの診察をこころみていた。

エッケは、黙りこみ、手をわななかせながら、博士の顔をうかがっていた。

診察は、十分間ほどかかった。

診察が終わると、博士は顔を上げ、その目でエッケを求めた。エッケは、まるで別人のようになっていた。顔は暗澹として、その眼差しは、まるで風と砂とにかわききりでもしたような、赤い、こわばったまぶたのあいだにこごりついていた。その無感覚なようすには、なんとも悲痛なものが感じられた。博士は、一瞬ちらりと見ただけで、もう表面をとりつくろってみたところでなんにもならないことを見てとった。そして、同情の気持ちから新しい手当を命じかけていたのもやめてしまった。彼は診察着をぬぎすて、すばやく手を洗い、看護婦の着せかけるモーニングに腕をとおしてから、小さいベッドには目もくれず、そのまま部屋を出て行った。エッケもつづいて部屋を出た。そして、その後にはアントワーヌがつづいた。

三人は、玄関のところで、突っ立ったまま、じっと顔と顔とを見合わせた。

「せめてご診察いただけてありがとうございました」と、エッケが言った。

博士は、あいまいな身ぶりで肩をゆすった。そして、その唇は、何やらしめったような響きを立てた。エッケは、鼻眼鏡ごしにじっとそれをながめていた。そして、眼差しの表情は、次第次第に、きびしい表情から、侮蔑するような表情へ、さらには憎悪するとでもいったような表情へうつって行った。やがて、そうした悪の光も消えてしまった。彼は言いわけするような口調でつぶやいた。

「だめと知っても、どうもあきらめられないものでございまして」

博士は、なにやら身ぶりをしかけたが、そのまま落ちついたようすで、掛けてあった帽子をはずした。だが、出て行くかわりに、彼はエッケのほうへ歩みより、ちょっとためらっているようだったが、無器用なようすでエッケの腕の上に自分の手をおいた。ふたたび沈黙。やがて博士は、われにかえったようにうしろにさがり、軽いせき払いをひとつすると、やっと決心したように出て行った。

アントワーヌは、エッケのそばへ寄って行った。

「きょうはぼくの診察日だ。今夜九時ごろまでにまた来てみる」

エッケは、身動きもせず、いまや最後の希望がフィリップ博士と共に去ってしまったあけ放たれたドアのほうを、ばかになりでもしたようにながめていた。彼は、わかったというしるしに、ただ首だけを動かしてみせた。


フィリップ博士は、アントワーヌをうしろにしたがえながら、なにひと言いわず、足早に二階までおりて行った。そして、そこまで行くと立ちどまり、半分うしろをふり返り、泉の水とでもいったような音を立てながらつばをのみくだした。そして、いつもよりずっと鼻にかかった声でこう言った。

「やっぱり処方箋でも書いてやっといたほうがよかったんじゃあるまいかな? Ut aliquid fieri videatur.（ラテン語。《せめて、何かしてやったというしるしだけにでも》）……だが、事実そんなことはできなかった」彼は口をつぐんで、さらに階段をいくつかおりた。そして、今度はうしろをふり向くこともなしにこうつぶやいた。

「どうもきみほど楽観的になれんな……ま、あと一日二日はこのままだろうな」


かなり薄暗い階段の下までおりついたふたりは、ちょうどそこへはいって来たふたりの婦人と行きあった。

「あら、チボーさん!」

アントワーヌは、フォンタナン夫人だなと見てとった。

「いかがでして?」と、夫人は、つとめて不安の気持ちを見せないようにしながら、さそい出すといったような声で問いかけた。「ごようすを見に来たんですの」

アントワーヌは、答えるかわりに、大きく首を振ってみせた。

「あら、ちがいますわ！　どうしてそんなことがあるでしょう！」夫人は、アントワーヌの態度を見て、時をうつさず災いを追い払わなければならないとでも考えたかのように、非難らしいちょうしをこめてさけんだ。「信頼ですわ！　先生、信頼ですわ！　そんなこと、あり得るでしょうか。あまり残酷すぎますわ！　ねえ、ジェンニー？」

アントワーヌは、この時はじめて、離れたところに少女のいたのに気がついた。彼は急いで無礼を謝した。少女は、まの悪そうな、はっきりしない態度だった。そして、やっとのことで、彼のほうに手をだした。アントワーヌは、興奮している少女の表情、まぶたに見られる神経質なまばたきなどを見てとった。だが、ジェンニーが、いとこのニコルをどんなに愛しているかを知っていた彼は、べつに驚きもしなかった。

とはいうものの、彼は《おやじ》に追いつきながら、《だが、なんて変わったことだろう》と考えずにはいられなかった。いま彼の心の中には、夏のある夕暮れ、庭の中で、はでな着物を身につけた、はるか昔のおとめの姿が思いだされていた。彼は、こうして彼女に出会ったことから、悲痛な気持ちにさせられていた。《ジャックにしたって、きっと見ちがえたにちがいない》彼は、心の中にそう思った。

博士は、沈痛な顔をして、自動車の中に身をうずめていた。

「ぼくは学校へ行くからな」と、博士は言った。「途中できみを家の前でおろしてあげよう」

道すがら、博士はほとんど口をきかなかった。だが、ユニヴェルシテ町のかど、アントワーヌが別れのあいさつをしかけたとき、博士ははじめて昏睡からさめでもしたようだった。

「そうそう、チボー君……きみは言語機能の発育不完全な者について専門に研究していたが……そこで、きみのところに、最近エルンスト夫人という人をまわしておいたんだが……」

「きょうお会いすることになっております」

「五つ六つになる男の子をつれていくからね。まるで赤ん坊とおなじように、単音綴ばかりで話をするんだ。しかも、ぜんぜん発音のできない音もあるらしい。それでいて、お祈りをしろというと、たちまちひざまずいて、《天にましますわれらの父よ》を、はじめからしまいまで、ほとんど完全な発音でとなえるんだ！ ほかの点では、かなりりこうな子供らしく思われる。きみにとっても、きわめて興味ある患者だろうと思うんだが……」

五

鍵穴に主人の鍵の音を聞きつけるや、レオンはすぐに姿をあらわした。

「バタンクールのお嬢さまがお待ちでございます……」そして、いつもの癖で、ちょっと不審らしいようすをつくりながらつけ加えた。「家庭教師らしい女のかたとごいっしょで」

《バタンクールのお嬢さんなものか》と、アントワーヌはひとりで訂正した。《あれは、〈二十世紀勧工場〉の、グピヨの娘なんだ……》

彼は、カラーと上着とをとりかえようと思って部屋へ行った。彼は、服装についてなかなかやかましかった。そして、いつも気のきいた、おとなしやかな服装をしていた。つづいて書斎にはいっていった彼は、ひと目でずらりと見わたしながら、すべてがきちんとなっているのを見とどけ、いざこの日の午後の仕事をはじめようと張りきりながら、勢いよくカーテンをかかげ、サロンのドアをあけたのだった。

すっきりとしたひとりの若い婦人が立ちあがった。彼はそれが、すでにこの春、バタンクール夫人と令嬢とについてきたことのあるイギリス婦人だということを見てとった。

（彼の記憶は、われにもあらずしっかりしていて、すぐに、あのときちょっと気のついたことを思いだすことができた。彼は、その訪問の終わりにあたり、テーブルに向かって処方箋を書きながら、まったくぐうぜんのことに、軽い着物を着て、窓の框（かまち）に身をよせあっていたふたりの婦人、バタンクール夫人とイギリス婦人とのほうへ目を上げたのだった。彼はそのとき、美しいアンヌが、そのあらわな指先で、家庭教師の婦人のしなやかなこめかみのおくれ毛を愛撫するようにかき上げてやりながら、その目をちらりと輝かしたのを忘れることができなかった。）

家庭教師は、悪びれないようすで頭をさげ、令嬢を先へ立てて歩かせた。ふたりを通してやるために身を引いていたアントワーヌは、一瞬、若い、身じまいのいいこのふたりの婦人たちのからだから流れ出るさわやかなにおいにつつまれた。ふたりともブロンドであり、すらりとして、目のさめるような皮膚をしていた。

ユゲットは、腕に外套を持っていた。そして、せいぜい十三にもなっていないにかかわらず、とても背が高いので、短い、そでのない子供服を身につけ、夏のあいだ、豪奢に日やけした小娘らしい肌をむき出しているのを見ると、ちょっと驚かずにはいられなかった。あたたかいブロンドの髪は、揺れうごく輪といったように巻いていた。そして、それはあいまいな微笑や、いささか動きのにぶく感じられる大きな眼差しのせいで、むしろ憂鬱らしく感じられる彼女の顔を、むしろ陽気らしくとりまいていた。家庭教師はアントワーヌのほうを向いていた。そして、その花のような顔をさっと頬のあたりで染めながら、小鳥のさえずりを思わせる流暢なフランス語で、夫人はいまよそで食事をしておいでになって、そして、車をすぐそちらへまわすようにとおっしゃっておいでだったから、やがてここへ見えられるにちがいない、と説明した。

アントワーヌは、ユゲットのほうへ歩みよると、その肩を軽くたたき、くるりと明るいほうへ向き直らせた。

「どんなぐあいですな?」彼はうわの空のちょうしでこうたずねた。

少女は首を振った。そして、気がすすまないように微笑して見せた。

アントワーヌは、手早く、唇、歯茎、目の粘膜をしらべてみた。だが、彼の思いはそこになかった。彼は、さっき客間で、この少女——生まれつきいかにもしとやかに見受けられるこの少女が、なんだか無器用なようすでひじかけ椅子から立ち上がり、ちょっと見ただけではわからないようなぎごちなさで自分のほうへよって来たことに気がついていた。つづいて、その肩をたたいてやったとき、すでに目ざめていた彼の注意は、そこに見えるか見えないかの渋面と、きわめて軽い、身を引こうとする動作とを見のがさなかった。

彼が少女を診察したのは、これでまだ二度めだった。彼は、少女のかかりつけの医者というわけではなかった。あの美しいバタンクール夫人が、この春、とつぜん、娘のからだの一般的状態について診察をうけにきたというのも、それはたしかに夫人の夫、ジャックの旧友であるシモン・ドゥ・バタンクールにすすめられてのことにちがいなかった。そのときの夫人の話では、少女は、あまりにも早熟すぎた成長のため、疲れているということだった。当時、アントワーヌは、診察の結果、なんらこれといった病気の形跡も見いださなかった。だが、一般的健康状態がどうも不審に思われたので、厳重に衛生に注意するように命ずるとともに、毎月一回少女をつれてくるように約束させておいた。だが、それ以後、少女は一度も姿を見せなかった。

「さあ」と彼は言った。「すっかり着物をとっていただきましょうか……」

「ミス・メリー」と、ユゲットが呼んだ。

アントワーヌは、机に向かって、つとめて平静をよそおいながら、六月のときの診療記録を調べていた。まだ、なんらこれといった徴候はつかめていなかった。だが、ただ、ひとつ不審でならない点があった。そして、彼としては、これまでにもしばしば、そうした印象によって隠れた病原を突きとめたことはあったとしても、原則として、そうしたものにあまり早くとびつかないように心がけていた。彼は、この春とったレントゲン写真をひろげてみた。そして、それを落ちついて調べてみた。そうしたあとで彼は立ち上がった。

部屋のまんなかでは、ユゲットが、ひじかけ椅子の腕になかば腰をあずけながら、ものぐさそうに着物をぬがせてもらっていた。そして、ミスのすることに手をかしてやろうと、ひもなりホックなりをはずしかけると、それがいかにも無器用であることから、そのたびごとに、ミスは彼女の手を払いのけた。一度なぞ、ミスはすっかりじれてしまって、少女の指をぴしりと打ちさえしたのだった。こうしたメリーの手荒なところ、それに、一点非のうちどころのない顔の中に、なにかしらうちとけないもののあるのを見てとったアントワーヌは、彼女があまり少女を好きでいないらしいと考えた。ユゲットのほうでも、彼女をこわがっているらしかった。

「や、ありがとう」と、彼は言った。「それでけっこう」

少女は、青い、澄みきった、そして、光にあふれたすばらしい目を彼のほうへ上げた。なんというわけもなく、少女は彼を好きなのだった。(アントワーヌは、その意思的な、いつも張りきった顔だちにもかかわらず、患者たちにたいして、ほとんどこわいといったような感じをあたえなかった。なんだかよくわからない子供たちさえ、それについて見あやまることがなかった。そして、彼のひたいのしわ、落ちくぼんで、じっと人を見つめる眼差し、ぐっとひきしまった強いあごなど、すべては聡明と力との保証であるとして考えられていたのだった——《患者というものは》と、フィリップ先生はいつも辛辣な微笑を浮かべて言っていた。《要するにただひとつのことだけを望んでいるのだ。つまり、まじめに自分の相手になってもらうということ……》)

アントワーヌは、まずたんねんに聴診した。肺にはなんの異状もない。彼はフィリップ博士のやるように、順序を追ってやっていった。心臓にも故障なし。《ポット氏病……》と、ささやくような声が聞こえる。《ポット氏病かな？　……》

「からだをこごめて」と、とつぜん彼は言った。「いや、それより何か拾ってもらおう……あなたの靴でも」

少女は背を曲げないようにしてひざをついた。おもしろくない。彼はまだ、自分が思いちがいをしているものと思いたかった。だが、早く事実を知りたかった。

「ちゃんと立って」と、彼は言った。「腕を組み合わせて。そう。そこでからだをこごめて……ぐっと曲げる……もっと……」

少女は、からだを起こした。唇は、愛くるしそうにゆっくりひらかれ、甘えたような微笑にほころびた。

「痛いわ」少女は、言いわけをするようにつぶやいた。

「よろしい」アントワーヌは、そう言うと、見ないようなふりでちょっと少女のほうを見た。つづいて、じっと少女を見つめて微笑してみせた。こうして着物を脱ぎ、片手に靴を持ち、驚いたような、やさしい大きい目をじっとアントワーヌの上に見すえているところは、いかにも愛くるしく、抱きついてやりたいほどだった。立っているのに疲れた彼女は、そこにあった椅子の背にもたれていた。しゅすのような輝きを見せた胸の白さは、肩、腕、まるいもののあたりをおおっている熟したあんずのような肌の色を、ほとんど黒ずんだもののようにさえ思わせていた。そうした日焼けをした肌の色は、熱い、燃えるような肌ざわりを思わせていた。

「横になって」と、彼は、長椅子の上にシーツをひろげながら命じた。もう微笑してはいなかった。そして、ふたたび、不安にはまりこんでいた。「あおむけになって、からだをのばして。ぐっとのばして」

いよいよ決定的の時がきたのだ。アントワーヌはひざをつき、かかとの上にしっかり腰を据え、手首がじゅうぶん出るように、腕をぐっと前のほうへ突き出した。二秒ばかり、彼は心を静めるためといったように動かなかった。彼は、目に不安をたたえながら、肩胛骨のパレットから、腰がぐっとかげをつくって湾曲しているあたりにかけて、自分の前に横たわった、このかたい、筋ばった背筋を、ひとわたり、うつけたようなようすでながめわたした。やがて、少しこごんでいるほのあたたかい首筋の上に手のひらをのせ、調べてみようと、二本の指で脊柱の上を押してみた。そして、平均した力で押すようにつとめながら、脊柱関節をひとつずつ数えて、しずかに関節にそってさがっていった。

たちまち、少女は全身をふるわせ、えびのようにからだをまげた。アントワーヌは、ハッと思って手を引いた。と、自信のあるらしい笑い声が、ふとんの中から、なかばおし殺されるようにこうさけんだ。

「先生、痛いわ！」

「そんなはずはない。どこが痛みますね？」彼は、少女の気持ちをはぐらかそうと思って、見当ちがいのところをさわってみた。「ここは？」

「ううん」

「ここは？」

「ううん」

彼は、一点疑う余地のないことをたしかめようと思って、悪くなっている脊柱の部分を強く人さし指で押しながら、とつぜん「ここは？」とたずねた。

少女は、鋭いさけび声をたてた。だが、それはたちまち、むりにつくった笑い声に変わった。

しばらく沈黙。

「向こうをむいて」と、アントワーヌは、いままでとはまったくちがったやさしいちょうしで言った。

彼は、首、胸、それからわきの下とつぎつぎにさわってみた。ユゲットは二度と苦しそうな声をたてまいとして、からだを硬直させていた。だが、鼠蹊部のガングリオンの上を押されたとき、彼女は低いうめき声をもらした。

アントワーヌはからだを起こした。彼の心は落ちつきはらっていた。それでいながら、彼は少女の眼差しを避けるようにしていた。

「では、もうこれだけ」と彼は、じょうだんにふててみせでもするかのように言った。「なにしろとてもきゃしゃなんだから！」

誰かがドアをたたいていた。と思うまもなくそれがあけられた。

「先生、あたくし」と、生きいきした声が言った。そして、もったいぶった足どりで、美しいバタンクール夫人がはいって来た。「ごめんくださいましね。申しわけないほどおそくなっちまって……でもお住まい、ずいぶんわかりにくいんですもの！」と、言って笑った。「でも、お待ちくだすったんじゃないでしょう？」夫人は、目で娘をさがしながらそうつけ加えた。「かぜをひかないように気をつけるんですのよ……」夫人は、やさしさというもののない声で言った。「メリーさん、すまないけれど、なにか肩にかけてやってくださらない？」夫人の声は、やさしい、と同時に重々しい中音部（コントラルト）の抑揚を持っていた。そしてそれは、なんのきっかけもなしに、ざらざらした声のあとにつづくのだった。

夫人は、アントワーヌのほうへ歩みよった。そのしなやかな身のこなしには、何かしら人の気持ちをそそり立てるようなものがあった。それでいて、その俊敏なものごしのかげには、なにかしらちょっと冷たいものがあり、そこには人を誘惑しよう――やさしさをもって人を誘惑してやろうという、長いあいだの習慣によって鍛えられ、ならされた、かなりはげしいしつこさがしめされていた。その身のまわりには、発散してしまうにはあまりにも重すぎる麝香（じゃこう）のにおいがただよっていた。夫人は、少しも悪びれない身のこなしで、グルメット（手首につける装身用の鎖）の鳴っている、明るい手袋のままの手を出した。

「こんにちは！」

そのねずみ色の目は、ぐっとアントワーヌの目の中までも刺しとおした。彼は、なかばひらかれた彼女の口を見た。栗色の髪が波を打っているかげに、きわめてこまかいいくつものしわが、こめかみのあたりの皮膚にそれと目に見えないほどのみぞをきざみ、まぶたのまわりの皮膚をことさらたよりないものに思わせていた。彼は目をそらした。

「先生、いかがでして？」と、夫人がたずねた。「ご診察、どのへんまで進みました？」

「その……きょうのところはもうすみました」アントワーヌは、唇のあたりに微笑をかたまらせながらこう答えた。そして、メリーのほうを向きながら、「着物をきせてあげてください」

「いかが？　この子元気になりましたでしょう？」こう言いながら、夫人は、いつもの習慣で、光線を背にするようにして腰をおろした。「この子、お話し申しあげましたかしら……？」

アントワーヌは、洗面台のところへ行っていた。そして、顔だけていねいに夫人のほうへ向けながら、シャボンで手を洗いかけていた。

「……あたくしたち、この子のためにオスタンドに二カ月行っておりました。そら、ずいぶん日に焼けましたでしょう！　これが六週間まえときたら！　ねえ、メリーさん？」

アントワーヌは考えこんでいた。今度という今度、いよいよ結核の徴候がはっきりあらわれていた。それは少女の肉体の根底を冒し、すでに脊柱を深くむしばみはじめていた。《治癒可能症……》と言ってやりたかった。だが、どうもそのようには思われなかった。外面的徴候とちがって、一般的状態はきわめて憂慮すべきもののように思われた。ガングリオンの部分はすべてはれあがっていた。ユゲットは、グピヨ老人の娘だった。そして、腐敗した遺伝は、この子の将来を深く冒さずにはすまないもののように見えていた。

「……この子、お話し申しあげましたかしら？　パラス・ホテルの日焼け競争で、三等賞になりましたのよ。そしてカジノでは、褒状をもらいました」

夫人は少し、それもほんの少し、Ｚの音をきわだたせて話していた。しかもそれが、彼女のものすごい美しさに、いささか無邪気な、気のゆるせそうな気持ちをあたえていた。顔が浅黒いだけにきわだってみえる紺碧のひとみは、なんというわけもなしに、きらりと鋭い光を投げていた。はじめて会ったとき以来、なぜというわけもなく、夫人はアントワーヌにじりじりした気持ちをおこさせられていた。夫人は、いつも男なり女なりから、むさぼるような目つきで見られたいと望んでいた。もっとも、だんだん年もとってくることだし、いままでほどにいつもいい気持ちになっているわけにはいかなかった。だが、そうした楽しみがプラトニックなものであればあるだけ、それだけ、いたるところで、そうした肉感的な空気をわがものにしておきたいとあせっているように見うけられた。そうした彼女は、アントワーヌの態度にじりじりさせられていた。なるほど、自分を見つめる、注意ぶかい、興味ありげな目には、そこにぜったい欲望のかげがないわけではなかった。だが夫人には、そうした欲望がいつもやすやすとコントロールされていること、すべてが理性の判断にまかせられていることが、いやというほど感じられていた。

夫人は、つと話をやめた。

「失礼させていただきますわ」と、夫人は咽喉(のど)のあたりで笑いながら言った。「なにしろ外套を着ていると暑くって」そして、椅子にかけたまま、アントワーヌから目をはなさず、しなやかな身ぶりで、首飾りの音を立てながら、からだにそって寛濶な毛皮の外套をすべらせた。外套は、かけていた椅子の上をふんわり包んだ。夫人の上体は、ずっと自由になって波打った。ブラウスの切れこみからは、解き放たれた首のあたりがのぞいていた。いかにもみずみずしい、いかにも奔放といえそうなその首のあたり。そして、その上には、いかにもさっそうと、かぶと形の帽子をいただき、輪郭のきっぱりした、小さな顔がそびえていた。
アントワーヌは、ゆっくりふいてやっているその手の上にうつむきこみながら、放心したような、不安そうなようすで、いずれあらわれてくるであろう骨格の炎症、その軟化、つづいてとつぜん襲ってくるであろうカリエス性の脊椎崩壊のことを考えつづけていた。時をうつさず、最後の手段をとらなければならない。向こう何カ月——いな、おそらく向こう何カ年、ギプスをはめていなければなるまい……

「先生、この夏、オスタンドはとてもにぎやかでございましたわ」夫人は、アントワーヌの注意をひこうと、ことさらちょうしを高めて言った。「それはそれはえらい人出……ものすごいほどの人出……まるで市(いち)がたったようでしたわ！」そう言いながら夫人は笑った。そして、アントワーヌがうわのそらなのを見てとると、だんだん声を落としていって黙りこんでしまった。そして、ユゲットに着物を着せてやっているメリー嬢のほうへ、愛想のいい眼差しをふり向けた。だが、その気性から言っても、いつまでもはたで見てばかりはいられない彼女だった。いつも、なにかしら口を出さずにはいられない彼女だった。夫人は、ユゲットの、襟のひだがまちがってついているのを直してやろうと、さっと椅子から立ちあがり、ひとわたり上着の着つけを直してやった。そして、メリー嬢のほうを向き直ると、親しげに、その顔ちかくこごみこんで、声をひそめてこう言った。

「ねえ、メリーさん、あたしハドスンのところでこしらえさせたゲンプのほうが好きよ。あれをシュジーに見本にやってちょうだい……さ、しゃんと立って」と、彼女は、じりじりしながらこうさけんだ。「この子ったら、いつも腰かけてばかりいて！　着物がしゃんとしているかどうだかわからないじゃないの！……」そして、しなやかな手ぶりで、少女の上体をくるりとアントワーヌのほうへ向き直らせた。「先生、この大きな赤ちゃんたら、とてものらくらで困るんですの！　これまでいつもぴちぴちしていたあたくし自身のことを思うにつけて、とてもじれったくてたまりませんの！」

アントワーヌの目は、何かぼんやりたずねかけているようなユゲットの目にいきあった。彼は、わかってるといったような目くばせをしてやらずにはいられなかった。それを見て少女は微笑した。《さて》と、彼は自分自身に言い聞かせた。《きょうは月曜日。金曜か土曜にはギプスをはめてやらなければ。そうしたうえで考えてみるんだ》

そうしたうえで？……彼はしばらく考えこんだ。彼は、ベルクの病院のテラスの上に、潮風の下にずらりと並べられたいくつもの《棺》のあいだに、ほかのにくらべてずっと長めなひとつの移動寝台のあったことを思い浮かべていた。そして、まくらのないふとんの上、あお向けにした患者の顔のうえに、いまユゲットがじっと自分の上にそそいでいる、この美しい、快活な青い眼差しのことを想像した……

「オスタンドでは」夫人は、ぐずつく娘にごうをにやしながら説明をつづけた。「毎朝カジノで、ダンスのおけいこがありました。あたくし、この子をやろう思いましたの。ところが、この子ったら、一度踊ると、すぐ腰掛けにへたへたとなって、めそめそしては、わざと人さまの目についていましたの！　みなさん、きのどくがってくだすって……」夫人は、肩をすくめてみせた。「しかも、あたくし、人さまからきのどくがられたりするのが大きらい！」夫人は、激しい言葉を吐きながら、とつぜんアントワーヌのほうを、なんともいえないきつい眼差しでじっとにらんだ。アントワーヌはたちまち、かつてグピヨ老人が、年をとっての嫉妬ざたから毒殺されたといううわさのあったことを思いだした。夫人は、いまいましげにつけ加えた。「あんまりみっともないんで、けっきょくあたくし根負けしちまったんでございますわ」

アントワーヌは、仮借ない眼差しで夫人をながめていた。とつぜん、彼は腹をきめた。彼は、この女には、何も重大なことを話すまいと決心した。女はこのまま帰らせる、そして、至急夫を呼んでやる。もちろん、ユゲットはバタンクールの娘じゃない。だが、アントワーヌは、ジャックがいつも彼について語っていた言葉を覚えていた。《頭の中はからっぽだが、無類飛びきりのよい男》

「ご主人はいまパリにおいででしょうか？」と、彼はたずねた。

夫人は、彼がようやく社交的な話をする気になったものと解釈した。やっとのことで！　夫人は、彼にたのみたいことをもっていた。それには、相手のきげんをとりむすんでおかなければならなかった。夫人はからからと笑いだした。そして、ミス・メリーをかえりみながら言った。

「メリーさん、お聞きになって？　いいえ先生、あたくしたち、猟がありますんで、二月までトゥーレーヌに足どめされておりますのよ！　今週はそれでも、山のような二組のお客さまのあいだを、うまくぬけ出してこられました。でも、土曜日になりますと、またお客さまがいっぱい見えますんで」

アントワーヌはなんとも答えなかった、そして夫人は、そうした沈黙によってはぐらかされた。いまはもう、こんなそだちの男を教育してやることを、すっかりあきらめてしまわなければ。まるで気の抜けたような妙な男、それに無作法な男、と夫人は思った。

夫人は、外套を取るために、部屋の中を歩いて行った。《よし》と、アントワーヌは思った。《すぐバタンクールに電報を打とう。番地もちゃんとわかっているし。あした、おそくもあさってはパリにこよう。木曜日にレントゲン。そして、念のため、おやじの診察をうけさせよう。そして、土曜にギプスをこしらえる》

ユゲットは、ひじかけ椅子に腰かけながら、おとなしく手袋をはめていた。バタンクール夫人は立ち上がり、毛皮の外套に包まれながら、鏡の前で、雉(きじ)の羽でつくったヴァルキューレ風（ワーグナーの楽劇『ヴァルキューレ』の中に出て来るウォータンの娘のかぶる帽子のようなといった意味）の帽子をかぶりかけていた。夫人はちょっととげのある言いまわしでこうたずねた。

「先生、処方箋はいりません？　それになにかお言い聞かせくださることでも？　ミス・メリーと、イギリス馬車（散歩用の無蓋馬車）で猟について行かせてはいけませんかしら？」

六

バタンクール夫人が帰って行くやいなや、アントワーヌは診察室にもどって、客間へ向かったドアをあけた。

リュメルは、一分もむだにできない男といったような足どりではいって来た。

「ずいぶん待たせちゃった」と、アントワーヌは、言いわけをするように言った。

相手は、愛想のいい打ち消しの身ぶりを見せながら、親しそうに手をだした。それはさも《きょうは単なる患者の資格さ》とでも言っているかのようだった。

「ほほう」と、アントワーヌは快活に言ってのけた。「大統領訪問の帰りかい?」

リュメルは、きわめて上きげんに笑ってみせた。彼は、絹裏のついた黒いフロックを着こみ、手にはシルクハットを持っていた。しかも、なかなか威厳があるので、こうした改まった服装がかなりぴったり似合うのだった。

「というわけでもないんだが。じつはセルビア大使館からの帰りなんだ。今週パリに来たジャニロスキー使節歓迎の午餐会だ。それに、このすぐ後がまたお役目だ。大臣の仰せつけで、エリザベス女王の接待だ。女王、とんだ気まぐれをおこして、五時半に、菊花陳列会にやって見えるとまえぶれがあった。いいあんばいに、ぼくは女王を知ってってね。とてもお手軽な、とてもやさしいかたなんだ。花はお好きだが、杓子定木は大きらい。ぼくはきわめてかんたんに、お儀式ぬきのごあいさつだけにしておくつもりだ」

彼は、気もそぞろといったようすで微笑した。そして、アントワーヌは、相手がこうした結びの言葉——礼儀にもはずれず、スマートでもあり、きわめて気のきいたそうした言葉を見つけて、それをうれしそうに反芻(はんすう)しているのだなと思った。

リュメルは、すでに四十を越していた。頭はまるで獅子のようで、ふさふさした薄いブロンドの髪の毛は、小ぶとりのローマ風の顔をとり巻いてうしろのほうへかき上げられていた。ひげは、いどみかかるとでもいったようにこてでひねり上げられていた。青い目を、好んでこれをぎょろつかせ、それはさも人を見とおすとでもいうようだった。《この動物——これでひげさえなかったら》と、アントワーヌはときどき思ったことだった。《羊さながらといった横顔だろうに》

「やあ、その午餐会というやつがだ！」彼は、目を半眼に見ひらき、首をゆすりながら、しばらくそう言ってからあいだをおいた。「集まったものは二十人、ないし二十五人。すべてこれ、その筋のお歴々、第一流の人物。くわしく調べてみたら、あるいはふたり、三人の知識人がいたかもしれない。いやものすごいこと……ところでぼくは、ちょっとおもしろい手を打っといたと思うんだがね。もっとも、大臣はなにも知らない。自分の地位に恋々としている彼のことだ、へたをすると、万事だいなしにされるおそれがある……」こうした微妙なこんこんとしてつきることのないといったような話しぶり、なんでもないような言葉のはしさえ意味深長に思わせようといった微妙な笑い、それは彼の片言隻句のはしばしにまで、いつもきまりきったものではあるが、なにかしら潑剌たるものをつけ加えていた。

「ちょっと失礼」アントワーヌは、机のほうへ歩みよりながら言葉をはさんだ。「ちょっと急ぎの電報があるんだ。話のほうは聞いてるぜ。どうだい、きょうのセルビア会談後のからだぐあいは？」

リュメルには、この質問が耳にはいらなかったというようだった。あいかわらずうわのそらでしゃべりつづけていた。《こいついったんしゃべり出すと》と、アントワーヌは思った。《どう見ても、いそがしい男とは受けとれないな……》バタンクールあての電報を書きながら、うわのそらの彼の耳に、いくつもの言葉の切れはしがとびこんできていた。

「……ドイツが動揺しだしたからには、だ……彼らの記念碑除幕式のときのライプチッヒでのデモンストレーション……彼らは、あらゆる口実をつかむんだ……ちょうど一八一三年から百年めの……やって来るぞ。大またに、のっしのっしとやって来るぞ！　せいぜいこれから二、三年さきには……」

「なにがさ？」と、顔を上げながらアントワーヌが言った。「戦争かい？」

彼は、ちゃかしたような目つきでリュメルを見つめた。

「そうさ、戦争が」相手はまじめにこれに答えた。「われわれは、まっしぐらにそれに向かって進んでるんだ」

彼はいつも、ヨーロッパ戦争が近く勃発すると予言するたいして毒にもならない習癖を持っていた。時によると、それを当てにしてでもいるようだった。おりもおり、彼は言葉をつづけてこう言った。——「いよいよ飛びだすときがくるぞ」はなはだあいまいな言葉、《銃をとって立つ》という意味にもとれるが、アントワーヌは、なんの躊躇もなく、それを《権勢にありつく》意味に解した。

リュメルは、机のそばへ歩みよって、アントワーヌのほうへ身をかがめ、機械的に声を低めながらこう言った。

「きみは、オーストリアの情勢に注意してるかね？」

「うう……まあね——ほんのやじ馬の気持ちでね」

「ティスツァ（ハンガリーの政治家、一八六一年生まれ—一九一八年暗殺。欧州大戦に先だつ一年、一九一三年首相となり、独裁を行ない、一九一四年フランツ・フェルディナント大公暗殺の事あるや、セルビアにたいする強圧政策を行なった）は、もうベルヒトルト（オーストリアの政治家、一八六三年生まれ—一九四二年没。欧州大戦勃発当時のオーストリア首相、——セルビアに対する強圧政策の実行者）の後継者をもって任じているんだ。ところがぼくは、そのティスツァを、一九一〇年すぐ目の前に見たことがある。あいつはまったく命知らずの最たるものだ。このことは、彼がハンガリー議会の議長をしていたときに試験ずみだ。きみは読んだか、彼が公然ロシアを威嚇したあの演説を？」

アントワーヌは、電報を書いてしまって、立っていた。

「いや」と、彼は言った。「だが、新聞を読む年ごろになってから、ぼくはいつもオーストリアのいかにも鬼っ子らしい動きかたを見せられてきた。だがきょうまでのところ、たいしたこともなかったな」

「というのは、ドイツが手綱を引いてたからさ。ところがだ、そのオーストリアの態度というのが、およそ一カ月ほどまえにドイツで起こった変化のため、きわめて懸念すべきものになってきた。そして、世間一般、まだこのことに気がついていない」

「説明してもらおう」アントワーヌは、われにもあらずひっこまれるようにこう言った。

リュメルは、置き時計を見ながら立ち上がった。

「きみにもわかるだろうが、たとい表面上の同盟はどうであろうと、また両国皇帝のりっぱな演説などはどうであろうと、ドイツ、オーストリアの関係は、この六、七年このかた……」

「だが、われわれにとって、そうした不和こそ、平和の保証ではないのかな?」

「まさに絶好のものだった。しかも唯一のものでさえあったんだ」

「あったんだ、って?」

リュメルは、重々しく、そうだといったようすをみせた。

「ところで、それらすべては、いまや変化しようとしている……」彼は、どこまで言っていいか考えるといったようすで、じっとアントワーヌの顔を見つめた。それから、つぶやくように言葉をつづけた。「しかもおそらく、わが国のおかしたあやまちによってだ」

「わが国のあやまち?」

「残念ながらそうなんだ。だが、それはここでは問題にしまい。ところでどうだ、われわれはいま、ヨーロッパできわめて目のきいている連中から、戦争の下心があるとにらまれてるんだぜ。わかるかい？」

「われわれが？　じょうだんじゃない」

「けだしフランス人というやつは旅行をしない。フランス人ていうやつは、そのサーベル好きの政策が、外から見て、どんなふうに見えるかということを考えない……ところがだ、フランス、イギリス、ロシア、この三国の接近の増加、彼らのあいだの新しい軍事協定、そのほか二年このかたの外交工作のすべて、それらすべては事の当否は別として、ベルリン政府を極度におびやかしはじめている。すなわち、ドイツは、自分が本気で三国同盟にたいする脅威と呼んでいるところのものを目の前に見せられながら、まごまごすると自分が孤立することになるぞと見てとった。ドイツは、イタリアが、もはや三国同盟の名目上の一員たるにすぎないことを知っている。すると、あとに残るのはオーストリアだけだ。そこでドイツは、最近の数週間、友好関係を急速に回復すべき必要ありと考えはじめた。たとい重大な譲歩という犠牲をはらったにしてもだ。国策変更の犠牲を忍んでもだ。わかるかね？それから、急いでみずからの態度を変え、オーストリアのバルカン政策を承認し、これを激励鼓舞してやる、その間わずかにただ一歩だ。いや、その一歩がすでになされたのだというわさだ。事態は、オーストリアが、きみも知ってるように風向きの変化を見てとって、たちまちこれを利用し、ちょうしを上げるにいたって重大なものになってきた。ドイツはこうして、自分からオーストリアの鼻っぱしの片棒をになうことになったのだ。これは早晩、とほうもなく鼻っぱしを引きのばさせることになるだろう。すなわち、ヨーロッパ全土は、自動的に、バルカン紛争に引きずりこまれることになるだろう！……ここまで言ったらわかるだろう。多少とも事の真相を知ってるかぎり、人間はなぜ悲観論者にならざるを得ないか、ないし少なくとも不安を感ぜずにはいられないかが？」

アントワーヌは、懐疑的な気持ちで黙りこんでいた。彼は、いままでの経験から、外交の専門家たちというものは、紛争がいまにも起こりそうなことを言うものだということを知っていた。彼は、レオンを呼ぼうとしてベルを鳴らした。彼は、ドアのそばに立って、レオンのくるのを待っていた。早くまじめな用件のほうに移りたいと思ってだった。そして、たまらないといった目つきで、あいかわらずその話に夢中になり、時間を忘れ、大見得をきって、暖炉の前を行ったり来たりしているリュメルの姿を見まもっていた。

リュメルの父親は、かつて元老院議員をしていた男で、チボー氏の友人のひとりだった。（彼は、しあわせなことに、その息子が共和主義者として輝かしい活躍を見せるに先だってこの世を去っていた。）

アントワーヌは、これまでに幾度となくリュメルと会っていた。だが、じつをいうと、この一週間ほどひんぱんに会ったことはなかった。リュメルがやってくるごとに、辛辣なアントワーヌの意見は、ますます動かすべからざるものとなっていった。彼は、こうした飽くなき饒舌、こうしてさもひとかどの人物になりでもしたような慇懃さ、重大問題にたいするこうした関心、それがおりおりなにか卑しいものをうかがわせ、個人的野心とでもいったようなものをたわいなくしめしているのを見てとっていた。そうだ。野心こそは、リュメルの持っているただひとつの熾烈な感情にほかならなかった。しかも、アントワーヌの目から見ると、そうした野心にしたところで、リュメルの能力から考えると、いささか身のほど知らずのもののように思われていた。つまり、とるにもたらぬ教育、謙遜さのない怯懦な精神、移り気な性格。それらは、いまに大物になるぞといったようなものごしのかげに、ただたくみに隠されているというにすぎなかった。

おりからレオンが電報をとりに来た。《さあさあ、政治も心理学ももうたくさんだ！》アントワーヌは、駄弁家のほうを向き直りながらこう思った。

「ところで？　あいかわらずかね？」

リュメルは、さっと顔を曇らせた。

ちょうど先週はじめのある晩、九時ごろ、アントワーヌは、青い顔をしたリュメルが書斎にはいって来るのを見た。リュメルは、その前々日から、かかりつけの医者にも話したくなく、知らない医者にはなおさら話したくない病気――《じつはね》と、彼は言った。《ぼくには妻もあるし、それに、ちょっと公人といった立場もあるし、ぼくの公私の生活は、とかく口さがない連中の取りざたにあがったり、ないし恐喝の種にもなりかねないんだから……》――にかかって、ふとチボー氏の息子が医者だったことを思いだし、アントワーヌのところに手当をたのみにきたのだった。アントワーヌは、なんとかして専門医のところへさし向けようとしてみたがだめだった。そこで、なにしろ医者という職業柄、いっぽうこうした政治屋を知ってみるのもおもしろかろうと、ともかく治療をひき受けたのだった。

「ちっともよくないかね?」

リュメルは、なさけなさそうに首を振ってみせた。そして、なんとも言わなかった。饒舌家でいながら、彼は、自分の病気のこと、ときどき死にそうな痛みを感じること、ついいましがたも大使館での午餐の後、あまりに激しく痛んできたので、重要な話を途中でやめてあわただしく喫煙室を出なければならなかったことなど、打ちあける気になれなかった。

アントワーヌは考えていた。

「そうすると」と、彼はきっぱり言いきった。「やっぱり硝酸銀をやらなければ……」

アントワーヌは《実験室》のドアをあけ、しんと黙りこんでしまったリュメルをそこへ入れた。それから向こうをむきながら薬を調合し、コカイン用の注射器に薬を満たした。そしてふたたび患者のほうへもどって来たとき、リュメルはすでにものものしいフロックコートをぬぎ捨てていた。カラーもなく、ズボンもぬいでしまっている彼は、痛みに責められ、不安におびえ、すっかり面目を失墜しながら、さも弱りきったようすで、よごれた下着類をぬぎかけている哀れな患者以外のなにものでもなかった。

それでいて、彼は、まだすっかり自分を投げだしきっていなかった。アントワーヌがそばへ行くと、ちょっと首を立てて、いささか磊落らしく微笑して見せようとした。それでいて、やっぱり苦しいにはちがいなかった。しかもさまざまな意味において。精神的な寂しさの意味においても。というのは、こうした災難に出あいながら、ぜんぜん面目をすてることのできないということ、こうしたばかげた目にあって、たんに肉体のみならず、その誇りまで少なからず傷つけられたという事実を誰にも打ちあけることのできないということ、それはたしかに災難の上塗りにちがいなかった。ああ、誰に向かってなにからなにまで語れるというのだ？　彼にはひとりの友人もなかった。十年このかた、政治運動は、彼をして、偽善、不信の交遊関係のかげに、孤独の生活をさせていた。そしていま、彼の身近には、誰ひとり心から信頼できるようなものがいなかった。いな、ひとりいた、それこそはとりもなおさず彼の妻。彼女こそは、じつにたったひとりの伴侶、彼を知り、あるがままの彼を愛してくれているたったひとりの人、なんでも打ちあけてホッとできるたったひとりの人だった。だが、じつのところ、その人にこそ、心して、今度の失策を隠さなければならないのだった。

ところで、肉体的な苦痛は、こうした反省にとどめをさした。硝酸銀がきいてきたのだ。リュメルは、最初のうちは苦しそうな声をたてまいとしていた。だが、やがて鎮痛剤のききめも物かは、歯を食いしばってみても、こぶしを握りしめてみても、こらえてのけられるどころの騒ぎでなかった。深く焼けつく苦しみに、彼はまるで産婦のようなうめき声をたてた。青い目は、大粒な涙にひかっていた。

アントワーヌは、なんだかきのどくになってきた。

「さあ、もうちょっとのしんぼうだ。もうすんだ……痛いかもしれないが、どうせやらなければならないことだし。それに、すぐなおってしまうんだから。ちょっと静かにして。も少しコカインをやっておこう……」

リュメルの耳には、そんなことなど聞こえなかった。なさけ容赦のない反射器(レフレクター)の下、テーブルの上に八つ裂きにされたようになっている彼は、まるで解剖用のかえるででもあるかのように、両足をのばしたりちぢめたりしていた。

アントワーヌは、痛みをおさえてやれたと見ると、

「いま、十五分すぎだ」と言った。「何時に帰らなければならないんだ?」

「五……五時までいいんだ」と、相手は哀れっぽく、どもるように言った。「下に……自動車が……待たせてある」

アントワーヌは微笑してみせた。親しみをこめた、励ますような微笑だったが、その裏には、隠れた微笑がひそんでいた。彼はいま、行儀よく仕込まれた運転手が、三色の帽章をつけ、不感無覚なようすでシートに腰をかけながら、大臣閣下代理のお帰りを待っているところを想像していた。それにつづいては、あの赤いじゅうたんの道のこと。それはいまごろ、菊花展覧会の日おおいのかげに敷きのべられているにちがいなかった。あと一時間すればいまここで、まるでお む つ をとりかえられる赤子とでもいったように足をばたばたやっているリュメル君、改めて堂々たるリュメル氏が、フロックコートに身をかため、ねこひげのかげにあいまいな微笑をたたえ、歩調をとりながら、エリザベス女

王お出迎えのため、ひとりその上を渡って行こうというわけなのだ……だが、そうしたのんきな想像も、ほんのしばらくのあいだだった。医者としての彼の目には、やがてひとりの患者だけしかうつらなかった。患者というより、むしろ一個の病症。いな、むしろ一個の化学作用。すなわちそこには、彼自身それを引きおこさせ、彼自身それについて責任があり、その必然的進展を心の中に見まもっているひとつの作用、とりもなおさず粘膜にたいする腐食剤の作用だけしかないのだった。

彼は、レオンがドアをそっと三度たたいた音に、現実世界に呼びもどされた。《ジゼールが来た》そう気がつくと、彼は蒸気消毒器の皿の上に、道具をすっかり投げだした。そして、一刻も早くリュメルからのがれたいと思いながら、そこはいつもの職業上のつとめの気持ちで、じっとがまんして苦痛のやわらぐのを待っていた。

「では、ここでゆっくり休んでいてもらおう」と、彼は、出て行きながら言った。「いま、この部屋は使っていないから。十分まえになったら知らせに来る」

七

レオンはジゼールにこう言ったのだった。

「お嬢さま、おそれいりますがあちらでお待ちくださいまし……」

《あちら》、それは昔のジャックの部屋だった。そこには、すでに夕やみがせまりはじめていて薄暗く、まるで穴倉とでもいったように、かげと沈黙とに満たされていた。部屋のしきいをまたいだとき、ジゼールの心は波打っていた。そして、落ちつかない気持ちをおさえようとする彼女の努力は、例によって祈りの形式、自分を見捨てたまわざるものにたいしての短い呼びかけの形式をとった。それから彼女は、機械的に、寝台椅子のところへいって腰をおろした。彼女はそこに、幾度となく、いろいろな年齢の時を通じて、ジャックと話しに来たものだった。どこかで――客間かしら、それとも往来のほうかしら?――うなるような子供のすすり泣きが聞こえていた。ジゼールには、感動しまいとするのがひとほねだった。いまの彼女は、ほんのちょっとしたことで、涙で息がつまりそうになるのだった。さいわいここには自分ひとりだった。どうしてもお医者さんにみてもらわなくては。だが、アントワーヌはいや。どうもからだのぐあいがわるい。やせすぎるほどやせてきている。たしかに不眠のせいだろう。だが、十九歳の彼女にとって、これはたしかにふつうではなかった……彼女は、ちょっとのあいだ、十九年にわたってのふしぎな生活のことを考えてみた。老人ふたりのあいだにあっての長いながい幼年時代。――つづいて、十六歳のころのあの重い秘密をかくした大きな悲しみ!

レオンが明かりをつけに来た。ジゼールとしては、むしろこうした夕やみに包まれていたかったのだが、それと口に出せなかった。明かりのついた部屋の中、彼女は家具、こっとう品のひとつひとつに見おぼえがあった。そこには、アントワーヌが、弟思いの気持ちから、原則としてなにひとつ指を触れないようにしていたことが感じられた。だが、彼がここで食事をするようになって以来、ひとつひとつの物はその置き場所を変えられ、用途を変えられ、すべて面目をあらためてしまっているようだった。たとえば、部屋の中央にひろげたこのテーブルにしても、また、パンかごとくだもののコンポチエ（砂糖煮の容器）とのあいだ、とんだ使いみちにあてられた事務机の上に置かれた茶器類にしても。それに、本箱までが……。昔は、ガラス戸のうしろ、緑いろのカーテンはこんなふうには引かれていなかった。カーテンの一枚があいていた。ジゼールは身をこごめた。そして、皿、小鉢のきらきらしているのを見た。レオンは、本という本をすべて上の棚に積み上げてしまっていた……ああ、もしジャックが、自分の本箱が食器棚に変えられたのを見たとしたら！

ジャック……ジゼールは、彼のことを死んだ人として考えたくないと思いつづけていた。彼女は、たとい彼が、いまとつぜんドアにあらわれたにしても驚かないであろうばかりでなく、ほとんどいつも、彼があらわれてきてくれそうな気がしていた。そして、こうした盲信的な期待が、三年このかた、彼女をして、その心身を疲らせずにはいない、はげしい半眠半醒の状態においていたのだった。

ここ、なつかしいものにとりまかれていると、いろいろな思い出が浮かびあがってきた。彼女は立ち上がってみるだけの勇気さえなかった。この部屋の空気をみだし、沈黙をけがすかと思うと、呼吸することさえやっとだった。壁暖炉の上には、アントワーヌの写真が載っていた。彼女の目はその上にとまった。彼女は、アントワーヌがその写真の一枚をジャックにあたえた日のことを思いだした。

彼は、その一枚をおなじく《おばさん》へも贈った。そして、それは上の住まいにおかれていた。それこそは昔のアントワーヌ、彼女が兄のように思って愛し、この苦しい三年のあいだ、彼女にとって大きな救いにもなっていた人だった。ジャックが姿をかくしてから、彼女は、幾度アントワーヌのところにおりて来て、ジャックのうわさをしたことだろう！　彼女は幾度、その秘密をアントワーヌに語ろうとしたことだろう！　いまはすべてが変わってしまった。なぜだろう？　ふたりのあいだに、なにがおこったというのだろう？　彼女には、なにひとつはっきりとしたことが言えなかった。思いだされるのは、六月、彼女がロンドンに出かけようとしたその前日のできごとだけだった。このとつぜんの出発、彼女の出発をまえにして、その隠れた理由を推察することのできなかったアントワーヌは、どうやら逆上してしまってでもいたらしかった。正確なところ、アントワーヌは自分にたいしてなんと言ったかしら？　もうこの自分を、兄としての気持ちで愛することができなくなった、自分について、いままでとは《別な》考え方をするようになった、とでも言ったらしかった。だが、そんなことがあり得るだろうか？　ことによったら、それは自分が考えだしたことなのではないかしら？　いや、ちがう。彼からもらったあいまいな手紙、やさしすぎるほどな、なにか底意あるらしい手紙の中にも、もうそれまでのような、静かな愛情をみつけることができなかった。こうして彼女は、今度フランスに帰ってからも、本能的に彼に会うことを避けていた。そして、この二週間、一度も、彼とふたりだけになる時を持とうとしなかった。いったいきょう、自分になんの用があるというのだろう？

彼女ははっと思った。アントワーヌだ。きちんと、まをおいた、彼のせかせかした足どりだ。彼は、はいって来た。そして、立ちどまると微笑した。顔は、いささか疲れている。それでもひたいは晴々して、目は幸福に輝いていた。思わずふらふらしかけたジゼールは、はっと気をとりなおした。アントワーヌの姿のあるところ、そこにはたちまち、彼の生活力とでもいったようなものが立ちこめるのだった。

「よう、ニグレット！　こんにちは！」と、彼は微笑しながら言葉をかけた。（ニグレット――それは、孤児の姪を養女にしなければならなくなった《おばさん》のヴェーズ嬢が、彼女を自分の手もとにひきとり、そして、マダガスカル生まれの混血児の娘として生まれた彼女が、まるで野育ちといっていい彼女が、裕福なチボー家につれてこられたころに、チボー氏が、ある日、上きげんのときに彼女につけたという、ずいぶん古くからのあだ名だった。）

ジゼールも、なんとか言わなければならなくなった。

「患者さん、きょうたくさん来ていること？」

「商売さ！」と、彼は快活に答えてのけた。「書斎へ行こうか？　それともここのほうがいいかな？」だがそう言いながら、返事も待たずに彼女のそばへ腰をおろした。「その後どうだね？　このごろちっとも顔をあわさないな……きれいなショールじゃないか……手をかしてごらん」彼は、ジゼールが取るにまかせた手をむぞうさにつかんだ。そして、それを、自分の握りこぶしの上にのせながら、もちあげてみた。「まえのようにふっくらしたところがなくなったな……」ジゼールは、ようすを取りつくろうといったように微笑した。そして、アントワーヌは、その浅黒い頬の上に、えくぼをふたつ見つけた。彼女は、べつに腕を動かそうともしなかった。だが、アントワーヌには、それがこわばっていて、いつでも引っこめられるようになっていることが感じられた。《帰って来てから、いやによそよそしくしてるじゃないか》彼はこうつぶやきかけて思いとまった。そして、まゆをよせながら口をつぐんだ。

「おじさまは、足が痛いから、また横におなりになりたいんですって」彼女は、話をはぐらかすように言った。

アントワーヌは、なんとも答えなかった。ずいぶん久しいあいだ、彼はこうやってジゼールとふたりきりでいる機会を持たなかった。彼は、小さな浅黒い手をながめつづけ、その血管を、細い、筋ばった手首のところまで追っていった。彼は、指を一本一本しらべてみた。彼は、つとめて笑おうとした。──《まるで、美しいブロンドの葉巻とでも言った感じだな……》同時に彼は、まるであたたかい靄をとおしてといったように、こうして腰かけているしなやかな肉体の曲線、そのふっくらとした肩のあたりからショールの下に盛り上がっているひざの先の高まりまでを、その眼差しで愛撫した。このいかにも自然な──そして、つい目の前にあるなよなよした姿の誘惑！　それは、なにかしらとつぜんのもの、何かしらはげしいもの……血の沸騰……堰きとめられていた流れが、堤防を破ってまさにおどり出ようとするようなもの……自分には、はたして、相手の腰に手をまわし、この若い、しなやかな肉体を引きよせようという欲望をこらえていることができるだろうか？……彼は、うつ向くと、相手の小さい手の上に、自分の頬をすりつけるだけで満足した。彼は、つぶやくようにこう言った。「柔らかい肌だな……ニグレット……」その眼差し——酔いしれた物ごいのような眼差しが、重く、ジゼールの顔のほうまで上げられた。だが、彼女は本能的に顔をそむけ、取られていた手を振りほどいた。

彼女は、きっぱりしたちょうしでこうたずねた。

「お話ってなんでしたの？」

アントワーヌは、はっと心をとりなおした。

「おそろしいことを耳に入れなければならないんだが……」

おそろしいこと？　彼女は、はげしい不安に心をつらぬかれた。なんだろう？　ありとあらゆる自分の希望が、今度という今度、打ち砕かれてしまうのではないだろうか？　彼女はたたき倒されたような眼差しで、ちょっとのあいだに、さっとひとわたり部屋の中を見まわした。そして、はげしい不安を浮かべながら、愛人の、思い出の品のひとつひとつをながめた。

だが、アントワーヌの言葉というのはこうだった。

「おやじがとても悪いんだ……」

彼女には、最初その言葉が耳にはいらなかったとでもいうようだった。そして、それが、遠いとおいところから立ちかえってくるといったほどの時間のあとで、彼女は、おなじ言葉をくり返した。

「とても悪い?」

そう言いながらも、彼女はとつぜん、それを誰から聞いたというでもなく、それを知っていたことに気がついた。そして、まゆをつり上げ、いささかわざとらしい不安を目にみなぎらせながらつけ加えた。

「でも……それほどお悪いんですの?……」

アントワーヌは、そうだといったようすをした。そして、ずっとまえからほんとうのことにらみ合ってきた男といったような口調で、

「この冬、手術して右の腎臓を切り取ってみた。だが、たったひとつのことしか教えてもらえなかった。つまり、腫瘍の性質が、もはや楽観をゆるさないということなんだ。いっぽうの腎臓も、ほとんどすぐにやられてしまった。ところが、病症はちがった経過をしめして、全般的なものになってきた。これはあるいは、《幸いなことに》というべきかもしれない……おかげで、病人をだましていられるんだから。いまはもう、なにひとつ気がつかないようになっている。自分が絶望だということさえ知らずにいる」

ほんのちょっとの沈黙のあとで、ジゼールがたずねた。

「といって、あとどれくらい……?」

アントワーヌは、じっと相手の顔を見つめた。彼は満足していた。これなら、りっぱな医者の女房だ。事にあたって、泰然としていられる彼女。彼女は、涙さえも見せなかった。外国で何カ月かを暮

らしたおかげで、驚くばかり成熟している。アントワーヌは彼女のことを思うとき、いつも、実際以上に子供らしく考えたのがいけなかったと思った。

彼は、まえとおなじちょうしで答えた。

「二カ月、せいぜい三カ月」そして、元気な声でつけ加えた。「おそらく、それよりずっと早いだろう」

たいしてかんの鋭い彼女でもなかったが、この終わりの数語の中に、彼女は自分にたいしてのアントワーヌの気持ちを見てとった。そしてアントワーヌが、早く仮面をぬぎ去ってくれたのを見てほっとした。

「ねえ、ジゼール、そうなったとき、きみはぼくひとりにして行ってしまうかい？　やっぱりあっちへ帰って行く？」

彼女は、なんとも答えなかった。そして、じっと動かない、きらきら光る目で静かに正面を見つめていた。ほかに何ひとつ動くものがないその丸顔の上には、まゆげのあいだにひとつの小じわが、あらわれたかと思うと消え、ふたたびあらわれては消えながら、彼女の内心の苦悶をあらわしていた。彼女が最初に感じたのは、いとしいという感情だった。彼女は、そうしたアントワーヌの呼びかけに心を動かされていたのだった。いままで自分が、誰かの力になれようなどとはほとんど考えてさえもいなかった。いわんや、家族全部がいつもたよりにしていたアントワーヌにとって、その力になれようなどとは。

いけない！　彼女はわなをかぎつけた。彼女には、アントワーヌがなぜ自分をパリにひきとめておこうとするのかが見てとれた。彼女は心から反発した。イギリスへ行くこと、それこそは自分が計画を達成するためのただひとつの手段であり、自分にとってただひとつの生存理由にほかならないのだ！　せめて、何から何までアントワーヌに話して聞かせられたら！　だが、それは自分の心の秘密をもらすことであり、しかも、そんなことを聞かされようなどと思っていない人にそれをもらすことになる……いずれあとから……手紙ででも……いまはいけない。

彼女は、目に、執拗な表情を浮かべながら、じっと遠いところを見つめていた。アントワーヌには、それが不吉なきざしであるように思われた。それにもかかわらず、彼はかさねて問いかけた。

「どうして返事をしたくないんだね？」

彼女ははっと身をふるわせた。そして、片いじなようすを見せながら、

「あら、そんなわけじゃないんだわ！　あたし、なによりもいそいでイギリスで免状をとっておきたいの。あたし、自分で考えていたよりずっと早く、自活しなければならなくなりそうなんだから……」

アントワーヌは、おこったような身ぶりでそれをさえぎった。

彼は、このとざされた唇、この眼差しの表情の中に、いやすことのできない落胆といったようなもの、同時に、狂おしい希望を思わせるような輝きと興奮とをみとめて驚いた。ただ、そうした感情の中には、彼というものはまったく除外されてしまっていた。彼は、憤然とした気持ちでひたいを上げ

た。忿懣？　絶望？　いや、絶望の気持ちのほうが強かった。咽喉は引きつれていた。そして涙さえも……。彼は、はじめて、それをおさえようとか、隠そうとかいう気にさえなれずにいた。涙だけでも、せめてはこのわけのわからぬ女の片いじをやわらげることができるだろう……

たしかに、ジゼールは心を動かされた。いままでかつて、アントワーヌの泣いているのを見たことがなかった。彼に泣いたりできようとは、考えてさえもみたことがなかった。彼女は、アントワーヌのほうを見ないようにした。彼女は、アントワーヌにたいして、あたたかい、深い愛着を持っていた。彼を思うごとに、いつも心がおどり、一種の興奮を感じていた。三年このかた、彼は自分にとっての唯一の力であり、たくましい、気心のわかった友人であり、そのそばにいることが、自分の生活にとってのたったひとつの慰めだった。こうした尊敬、こうした信頼、どうして彼はそれ以外のものを自分に求めようというのだろう？　そういう自分も、彼にたいして、どうして、もはや妹らしい感情を見せられなくなっているのだろう？

玄関のほうで、ベルの音が鳴りわたった。アントワーヌは、機械的に耳を澄ました。ドアのあく音。やがてまた静かになった。

ふたりは並んで腰をおろしたまま、黙って、身動きもしないでいた。そして、ふたりの考えは、まったくべつべつに……駆けりにかけていた……

やがて電話のベル……玄関に人の足音。レオンの手でドアがあけられた。

「お嬢さま、上のお住まいからでございます。テリヴィエ先生が見えておいでになります」

ジゼールは、これを聞くやいなや立ち上がった。

アントワーヌは、元気のない声でレオンを呼んだ。

「客間に何人見えてるね？」

「お四ったりでございます」

アントワーヌも立ち上がった。ふたたび生活がはじまるのだ。《それに、十分まえに、リュメルが待ってるはずだったっけ》と、彼は思った。

ジゼールは、彼のほうへは歩みよろうとせずにこう言った。

「あたしすぐ行くわ……では」

彼は、妙な微笑を浮かべた。そして、肩をすくめてみせた。

「行くがいい……ニグレット！」そして、そういった自分自身の言葉のちょうしに、さっき父と別れたときのことを思いだした。「ああ、行くがいい！」胸を刺される言葉の類似……

彼は、言葉のちょうしを変えた。

「ねえ、テリヴィエに会ったら言ってくれないか、ぼくはいまちょっと手の放せないことがあるって。用があったら帰りによってほしいって、ね？」

ジゼールは、頭で承知したことをしめしながらドアをあけた。そして、とつぜんなにか思い決したといったように、アントワーヌのほうをふり向いた……いや、よそう……なんの言わなければならないことがあるだろう？　すべてを言うことができない以上、言ったところでなんになろう？……そして彼女は、ショールをぐっと引きまとうと、目を伏せたまま出て行った。

「エレヴェーターがすぐおりてまいります」と、レオンが言った。「お待ちになりましては？」

ジゼールは、いなという意味をようすでしめして、歩いて階段をのぼりはじめた。彼女はゆっくりあがっていった。まるで息がつまりそうな気持ちだった。いま、彼女の精力は、すべてロンドンというひとつの固定観念を中心にして集められていた。そうだ、できるだけ早く出発すること。休暇の終わるのを待たないで！ああ、もしアントワーヌに、自分のイギリス行きの意味がわかってくれたら！

あれからもう二年になる。九月のある朝のこと（ジャックが姿を隠してから十カ月後のことだった）、ぐうぜん、庭の中でいきあったメーゾン・ラフィットの郵便配達は、彼女にひとつのかごを渡した。それには彼女の名が記されており、そしてまた、ロンドンの花屋の札がついていた。驚きはしたが、なにかしら重大な予感におそわれた彼女は、誰にも見つからないように自分の部屋にもどり、細紐を切り、ふたをとってみた。そして、しめったこけのうえに、素朴なばらの花束を見いだしたとき、彼女はほとんど気絶しそうな気持ちだった。ジャック！おお、ふたりのばら！真紅のばら、黒い芯をした真紅のばら、まったくおなじばらの花！九月、誕生日！この匿名の贈り物の意味は、彼女にとって、それを解く鍵を自分が持っている暗号電報ででもあるかのように明らかだった。さてはジャックさんは生きているのだ！チボー氏は、思いちがいをしておいでなのだ。ジャックさんはイギリスで暮らしている！　ジャックさんは自分を愛している！……何よりもまず、彼女は、ドアをひろびろと押しひらいた。そして、声をかぎりに《ジャックさんは生きてます！》と、さけんでのけるところだった。さいわい彼女は、あぶないところで思いとまった。この真紅な小さなばらの花にこれほどはっきりした意味のあることを、どう説明したらいいだろう？　おそらく、根掘り葉掘り問いかけられるにちがいない。秘密を明かしてのけないためには、どんなことでもがまんしよう！　彼女はふたたびドアをしめた。そして、神に向かって、沈黙を守る力をあたえたまえと祈った。——せめてその日の夕方まででも。というわけは、アントワーヌが、晩飯までにはメーゾンに来ることがわかっていたから。

その日の夕方、彼女はアントワーヌをわきへ呼んだ。そして、ふしぎな贈り物のことを話してきかせた。ロンドンから花が届けられた。だが自分には、そこに誰ひとり知りびとがない……ジャックさんではないかしら？……ぜひこの新しい方面を調べさせてみなければ。これに興味をさそわれたアントワーヌは、一年このかたあらゆる探査に失敗していまは懐疑的になっていたにもかかわらず、すぐロンドン方面を調べさせてくれた。花屋のおかみさんは、注文した客についてきわめて詳細な人相を教えてくれた。だが、その人相たるや、ジャックのそれとは似てもつかないものだった。こうして、この方面の捜索も断念された。

だが、断念したといっても、それはジゼールのことではなかった。彼女だけは、確信を持ちつづけていた。それ以来、彼女はなにひとこと口に出さなかった。そして十七歳の少女とは思われないほどな自制心で沈黙を守りつづけていた。そして、自分でイギリスへ渡り、ぜがひでもジャックのゆくえを突きとめようという、固い決心を胸にいだいた。それは、ほとんど実現不可能とも思われるような計画だった。二年というもの、彼女は、その祖先である未開民族の、たんねんな口に出さない忍耐心で、この出発を少しずつ可能にし、それを周到に用意した。しかもそのためには、なんという努力をはらったことだろう！　彼女は、いまでもそのひとつひとつの段階をおぼえていた。おばのがんこな頭に、いろいろ新しい考えを吹きこむためには、気ながな操作が必要だった。まず第一に、娘に財産がないかぎり、たとい良家の子女であろうと、なお生活のみちを身につけておく必要のあることをおばに認めさせ、つづいて、姪である自分もおばとおなじように、りっぱに子供たちを育ててゆくだけの天分を持っていることをのみこませ、同時に、いまはなにしろ競争がはげしいから、教師にとって、英語を流暢に話すことがどんなに必要であるかということを納得させた。つづいて、彼女は、メーゾン・ラフィットにいるひとりの女の先生とおばとをうまく付き合わせてやった。先生は、つい先ごろ、カトリックの童貞さんたちの経営にかかるロンドン近郊の一種のインスチチュートを卒業してきたばかりの人だった。いっぽう懸念しつづけていたチボー氏のところには、運よくもそのインスチチュートについてきわめて好もしい報告がもたらされた。けっきょくこの春、ヴェーズ嬢は、いろいろ文句をのべ立てたあげく、ジゼールを立たせることを承諾した。すでにジゼールは、ひと夏をイギリスですごしていたが、その四カ月のあいだに、なにひとつ、期待した結果をつかむことができなかった。彼女は、不正直な探偵社にだまされたり、失望ばかり味わわされた。だが、これからいよいよ本格的に行動し、人々を動かすことができようというのだ。彼女は、最近、装身具をいくつか売り払った。そして、その貯金をかき集めた。彼女は、やっと信用のある探偵社と交渉を持つことができた。とりわけ彼女は、こうした小説的な計画のため、ロンドンの警視総監の娘の心を動かすことができたのだった。そして向こうに帰るなり、娘の父の家へ午餐をたべに行くことになっていた。そして、その父親は、自分にとって無類の力になってくれるにちがいなかった。どうして希望を持たずにいられよう?……

ジゼールは、チボー氏の部屋まであがって来た。ベルを鳴らさなければならなかった。おばは、部屋の鍵をけっして彼女に渡さなかった。

《そうだ。どうして希望を持たずにいられよう?》と、彼女は思った。するとたちまち、ジャックに会えるという考えが強くなって、全身引きしまるような感じだった。三月、とアントワーヌは言っていた。《三月?》と彼女は考えた。《三月を待たずに、あたしきっとさがし出してみせる!》

いっぽう、下のジャックの部屋では、アントワーヌは、ジゼールがしめたドアの前に立ちつくして、曇りガラスのはまった、踏み越えがたいそのドアの上に、焼きつくような眼差しを見すえていた。

彼は、自分がいまひとつの極点に達していることを感じていた。きょうまで、彼の意思――ほとんどいつでも、もっとも困難なものにいどみかかり、しかもいつも凱歌をあげずにはいなかった彼の意思――は、不可能なことにぶつかったためしがなかった。ところがいま、なにかしら彼を離れていきかけているものがあった。希望がないとなった以上、こらえていけない彼なのだった。

彼は、ためらいがちにふた足ばかり前へ進んで、鏡の中の自分を見ると、近く歩みよって、壁暖炉の上にひじをついた。そして顔を突き出しながら、しばらくのあいだ、じっと自分の目の奥までものぞきこんでいた。《だが、もしもあの時、彼女がとつぜん、ええ、あたしをもらってちょうだいなんて言ったとしたら……？》彼は、からだをふるわせた。彼は思いかえして慄然とした……。《ばかだなあ、こんなことなんか考えて》そう思いながら、彼はかかとでくるりとまわった。そして、たちまち、《しまった！　五時だ……エリザベス女王さまを忘れていたっけ！》

彼は、急ぎ足で《実験室》のほうへ向かって行った。だが、彼はレオンによってさえぎられた。レオンは、いつものようなドロンとした目、おろおろした、狡猾そうな微笑を浮かべながら言った。

「リュメルさまはお帰りになりました。あさって、おなじ時刻においでになるとおっしゃっておいででした」

「よし」アントワーヌは、ほっとしたように答えた。するとたちまち、こうしたちょっとした楽しさから、あらかた憂鬱を散らしてもらえた。

書斎へもどって、それを対角線に突っ切った彼は、いつもいささか得意らしくやってのける身ぶりでそこのとばりをかかげながら、客間へ向かったドアをあけた。

「おお、おお」と、彼を通りすがりに、自分のほうへおずおず近よって来た顔色のわるい子供の頬を軽くつまみながら上げた。「ひとりで来た？　大きな子みたいに？　お父さんもお母さんもお元気かね？」

彼は、子供をつかまえると窓のところへ引っぱって行き、光線をうしろからうけて腰をおろした。そして、もの柔らかな、しっかりした手つきで、小さな、おとなしい顔をあお向けにさせ、咽喉(のど)の中を調べてみた。「よかった」と、彼は、なおもながめつづけながらつぶやいた。「今度は扁桃腺というやつだぞ……」彼はたちまち、軽快な、よくとおる、いささか鋭さのある声にかえっていた。それは、強壮剤とでもいったように、いつも患者に働きかけるところのものだった。

彼は、一心に子供の上にこごみこんでいた。だが、たちまち自負心を傷つけられたことを思いだして、こう考えずにはいられなかった。《そうだ、電報一本打ちさえしたら、いつでも彼女を呼びもどせるんだ……》

八

子供を送り出しに行った彼は、玄関の腰掛けの上に、例のイギリス婦人ミス・メリーが、晴ればれした顔色でかけているのを見てアッと驚いた。

女は、彼の歩みよってくるのを見て立ちあがったが、長い、無言の、すばらしい微笑で彼を迎えた。そして、きっぱりした態度で、青みがかった一枚の封筒を出した。

つい二時間まえのあのつつましやかなようすとは似てもつかないこの態度、なぞのような、思いつめたようなこの眼差し、それはなぜとはっきりわからないながらも、アントワーヌは、なにか異常なことがおこったなと思った。

気になるままに、彼は玄関に突っ立ったまま、はやくも紋章のついたその手紙の封を切りはじめていた。と、女は、ドアがあけたままになっている彼の書斎のほうへ、自分から歩いて行くところだった。

彼は、手紙をひらきながらあとを追った。

先生

先生にふたつお願いがございます。そして、あらかじめおことわりなさることを用心して、できるだけ気持ちのよさそうなお使者をえらびました。

ひとつ。このメリーのおばかさんは、さっきお宅を失礼してから、じつは数日まえからからだぐあいがわるく、それにこのあいだじゅうから、せきこんで寝られない晩がつづいたと申すのでございます。くわしくご診察のうえ、なにぶんの注意をおあたえくださいませんか?

ふたつ。田舎のほうの宅で、古くからいる密猟監視人が、ひどい変形性関節炎をわずらっております。このころの季節になりますと、とても見ていられないほどな苦しみようでございます。それをシモンが、かわいそうだと言って、鎮静剤の注射をしてやっております。そんなわけで、調剤室にはいつもモルヒネを欠かしませんが、このあいだじゅうの発作のため、すっかり使いはたしてしまいました。そして、シモンから、持って帰れと申しつかっていたのですが、これは、お医者の証明がないと買えません。きょうの午後、お話ししようと思ってすっかり忘れてしまいました。おそれいりますが、この美しい使いの者に一ccのアンプレ四、五ダースすぐ求められますような処方箋――できますなら、引きつづき使えますような処方箋をお渡しいただけませんでしょうか？

第二のほうのお願いのこと、まえもってお礼申しあげます。第一のほうのお願いについては、どちらでお礼を申すべきものやら？　婦人患者であっても、その誰もがすべて、これほど楽しくご診察おできになれるだろうとは思いませんもの……

あらあらかしこ

アンヌ・マリー・エス・ドゥ・バタンクール

なお、シモンが、なぜあちらの医者にたのまないのかとお考えになりましょう。そのお医者というのは、偏屈な、それに党派心のつよい人、いつも宅に反対の投票を入れ、また宅の者たちをかからせないといって宅をうらんでいる人なんですの。そうでなければ、こんなご迷惑をおかけするはずはありません。

アンヌ

アントワーヌは手紙を読み終わった。だが、まだうつ向いたままだった。彼は、最初まず憤然とした。人を誰だと思ってるんだ？　つづいて、これはちょっとおもしろいぞと考えた。そして、からかってやれという気になった。

彼は、自分も一度その手を食わされたことがあるので、書斎を飾る二枚の鏡のはたらきというやつを知っていた。そうやって、壁暖炉の上にひじをついていると、からだを動かすことなく、うつ向いたまぶたのかげにひとみを動かすだけで、ミス・メリーをながめることができるのだった。彼はさっそくそれをやってみた。ミス・メリーは、彼の少しうしろに腰をかけていた。女はいま、手袋をぬいでいるところだった。外套のホックをはずして胸を出し、うわのそらのようすをよそおいながら、敷物のふさにたわむれている自分のつまさきにながめ入っていた。隠しているようでもあれば、また大胆なようでもあった。彼がからだを動かさないかぎり、彼から見られないと思っている女は、とつぜん長いまつげを上げると、彼のほうへ、まるで火花とでもいったような、青い目の、短い一瞥を投げた。

この不注意なしぐさ、それはアントワーヌをして、最後の警戒心まで解消させてしまった。彼はくるりとふり向いた。

彼は唇に微笑を浮かべた。そして、首をかしげたまま、もう一度この誘いの手紙を読み直した。それから、ゆっくりそれをたたんだ。そして、あいかわらず微笑をつづけながら、からだをぐっと立て、メリーの目の中をじっと見つめた。こうして目と目の出あったこと、それはふたりに、まるで衝撃とでもいうようにはっきりと感じられた。メリーは一瞬ためらった。彼はひとことも発しなかった。なかばまぶたを伏せ、幾度かゆっくりと頭を左右に動かしながら、かんたんに《いな》という意味をあらわした。彼は微笑しつづけていた。その顔のはっきりした表情を見ては、メリーは、見ちがえようにも見ちがえられなかった。それは、これ以上ないと思われる無作法さで、つぎのような意味を物語っていた。《だめですよ。どうしてみたってだめですよ。どっこいその手は食いませんから……おこってなんかいるもんですか。笑っていますよ、こんなことなぞなれっこですから……残念ながら——どんな犠牲をはらってみせてくだすっても——ぜったいお役にはたてませんな……》

女は、ひとことも口をきかず、顔をまっかにしながら立ちあがっていた。そして、敷物の上を、つまずきながら玄関のほうへさがって行った。彼のほうでは、こうしてあわただしく引きさがって行く女を、きわめて当然のことのように、そのあとから送って行った。彼は興がりつづけていた。女は、目を伏せたまま、ひとことも口をきかず、いらいらした、そして手袋をぬいでいるほうの手で襟元をかきあわせながら逃げて行く。その手は、火と燃えている頬にくらべて、まるで血の気がうせてでもいるようだった。

玄関までくると、彼は戸口をあけてやろうとして、女のそばへ身をよせた。女は軽く頭をさげた。彼もまたあいさつをかえそうとした。その瞬間、女ははげしく身をおどらせた。どうしたのかと思うまもなく、女はまるですりといったような敏捷さで、彼の手から手紙をさらった。そして、身をひるがえして逃げて行った。

彼は、地だんだ踏みながら、女の達者さ、腹のすわりかげんをみとめないではいられなかった。

ふたたび書斎にもどってきた彼は、近くメリーとアンヌと自分とが、三人で顔を合わすであろうそのときの、三人三様の顔つきを考えてみた。それを考えて、彼はふたたび微笑した。敷物の上に、手袋の片方が落ちていた。彼は、それを拾い上げると――においをかぎ――やがて快活に、くずかごの中にたたきこんだ。

ああ、イギリスの女ども！……そして、ユゲット……ああしたふたりの女たちのあいだで、病身な少女はこの先どうなっていくことやら？

夜になろうとしていた。

レオンが、よろい戸をしめにはいって来た。

「エルンスト夫人は見えたかね？」と、アントワーヌは備忘録を一瞥しながら言った。

「ええずっとまえからお見えでございます……それにご家内こぞってお見えになりました。お母さま、おぼっちゃま、それにお年寄りのお父さま」

「よし」と、アントワーヌは、きわめて元気に言いながら、客間のほうへのとばりをかかげた。

九

なるほど、歩みよって来たのを見ると、まさに六十かっこうの小男だった。

「先生、ちょっとまえもって御意を得させていただきたいのでございます。少しお耳に入れておきたいことがございまして」

言葉つきは、重く、いささか単調なところがあり、ものごしはおどおどしていて、品がよかった。

アントワーヌは、ていねいにドアをしめてから、一脚の椅子を指さした。

「エルンストでございます……フィリップ博士からお聞きくだすったと思いますが……いや、ありがとうございます」彼は、こうつぶやくように言いながら腰をおろした。人の好さそうな顔だちだった。目はぐっと落ちくぼみ、眼差しは、表情をたたえて悲しそうだったが、それでいて、燃えるようであり、輝きがあり、そしてまた若々しかった。これに反して、顔はまるで老人のそれを思わせていた。疲れ、くぼみ、肉づきがいいと同時に干からびていて、顔じゅうがくぼみと小さなこぶだらけ。平らなところはまったくなかった。ひたい、頬、あごのあたりは、まるで親指でこねあげ、ないし掘りかえしたとでもいったようだった。濃いねずみ色の、短いこわばったひげが、顔を上下に仕切っていた。頭の上には、色あせたまばらな髪が、まるで砂丘にはえている草を思わせていた。

相手は、アントワーヌがこっそり観察しているのに気がついたとでもいうのだろうか？

「わたくしたち、まるで子供の祖父母ででもあるようにお考えでしょうな」と、彼は、さみしそうなちょうしで言った。「じつはえらい晩婚でございまして、ただいまユニヴェルシテ（フランスの総合教授団）所属の教員として、シャルルマーニュ高等中学校でドイツ語を教えております」

《エルンスト》と、アントワーヌは思った。《それにこのアクセント……ははあ、アルザス生まれだな》

「おいそがしいところをおじゃまする意思はもうとうございませんが、じつは、せっかく子供をみてくださろうとおっしゃいますので、ちょっとその、ちょっと内密な件についてぜひお耳に入れておかなければならないと思いまして……」彼は目をあげた。その目は、暗い影で曇っていた。彼ははっきりこう言った。「じつは、家内も知らないことをお耳に入れておきたいのでして」

アントワーヌは、承知のしるしに頭をさげた。

「さて」相手は、勇気をふるいおこすとでもいうようにこう言った。（彼はたしかに、あらかじめ言おうとすることを準備しておいたにちがいなかった。彼は、目を遠く放ち、落ちついて、せきこむことなく、さも話しなれた人といったちょうしで語りだした。）

アントワーヌは、エルンストが、自分のほうを見られたくないらしいのに気がついた。

「一八九六年、ちょうど四十一歳のとき、わたくしはヴェルサイユで教師をつとめておりました」

声には落ちつきがなくなっていた。「当時わたくしは、ひとりの婦人といいなずけの仲になっておりました」彼は、とりわけイの字を響かせて言った。彼は、いいなずけという言葉のつづりを、まるでアルペジオのついた音符のように、すばらしく響かせながら発音した。彼は、はげしいちょうしにかわりながら言葉をつづけた。

「それに、わたくしは、ドレフュス事件のおり、熱心なドレフュスがたにまわっておりました。先生、あなたはお若くておいでですから、あのおりの思想検討の大事件についてはおそらくご存じないと思います……」（彼は、しゃがれた、荘重な声で《たい事件》と発音した。）「……しかし、当時、官吏でありながら、同時に熱烈なドレフュス主義者たることがどんなにむずかしいことだったか、さだめしおわかりいただけると思います」彼は言葉をつづけた。「つまりわたくしは、みずから進んであやうきに身をさらすといったような男のひとりでした」言葉のちょうしから推して、そこになんら虚勢らしいものは見られなかったが、いかにもしっかりしたちょうしはつつましく、アントワーヌは、このおだやかな老人——ひたいにはこぶこぶができ、あごのあたりは片いじにゆがみ、目にはいまなお黒い輝きを見せているこの老人をとおして、十五年の昔にさかのぼっての無鉄砲さ、元気さ、信念の強さ、それがはたしてどんなものだったか推察することができた。

「そうしたわけで」と、エルンスト氏は言葉をつづけた。

「一八九六年の新学年にあたり、わたくしはアルジェ高等中学校に左遷されてしまいました。いっぽう結婚問題のほうは……」彼は、声をやさしくしてつぶやいた。「……彼女の兄、そのただひとりの身寄りで船員になっていた男——商船の船員でしたが、そんなことはどうでもよろしい——その男がわたくしと反対意見を持っておりまして、けっきょく約束は破棄されてしまいました」彼は明らかに、つとめて感情をまじえずに事実の説明をしようと試みていた。

彼は、声を沈ませながら言葉をつづけた。

「アフリカに着いてから四カ月め、わたくしは……自分が病気にかかっていることに気がつきました」声には、ふたたび力がなくなりそうに思われた。だが、彼はしっかり立ち直った。「いや、言葉をおそれてはいかん。わたくしは梅毒にやられました」

《ははあ》と、アントワーヌは思った。《……で、つまり子供が……それでよめた……》

「わたくしはすぐに、アルジェ医科大学の先生がたの診察をうけました。そして、すすめられるままに、その地方第一という専門医の治療を受けることになりました」彼は、その医者の名を口にするのをためらっていた。「ロール博士というかたでした。その業績は、たぶんご存じだと思いますが」と、彼はやっと、アントワーヌのほうを見ないで言った。「病気は、ほんのかかったばかり、ごく最初の、たったひとつの症状があらわれたばかりでございました。わたくしは、治療のほうはきちんときちんと受けました。たとい、どんなにつらい治療でさえ。さて、四年の後——ドレフュス事件のほとぼりもさめ、ふたたびパリに呼びもどされましたとき、ロール博士は、わたくしがすでに一年もまえから全快しているとはっきり断言してくださいました。わたくしは、それを信じました。事実それ以後、何も変わったこと、なんら再発しそうな懸念もなしに過ごしました」

彼は、きっぱり顔をふり向けながら、アントワーヌの目を求めた。アントワーヌは、注意して聞いていることをようすで知らせた。

アントワーヌは、ただ聞いているだけでは満足できなかった。彼は、相手を観察していた。相手の風丰(ふうぼう)なり、態度なりから、彼は、つつましいドイツ語教師の勤勉律義な生活が、はたしてどんなものであったろうかを考えていた。彼は、いままでに、おなじような人たちを見た。だが、この人こそは、その職業以上に立ちすぐれた人であることが察しられた。同時に、長いこと、つつしみと謹直な内省の生活になれてきた人であることも感じられた。――それこそは、すぐれた資質の所有者にたいし、労苦多き境遇とか、ないしなんら報いられない、なんらもたらされるところのない生活――それでいて誠実な、確固たる心の所有者によって喜んで受け入れられている生活が、いやおうなしに課するところのものなのだった。結婚解消のことを口にしたときのちょうしにしても、そこには、そうしたさびしい生活の中で、恋の破局がはたしてどんなものであったか、十二分にうかがわれた。もっとも、ときおりその眼差しのしめすおさえられたような情熱は、この半白な教員の中に、まだ青年のそれを思わせる新鮮な感覚の存在していることをつたえ、相手を打たずにはいないのだった。

「フランスへ帰って六年しますと」彼は言葉をつづけた。「いいなずけの兄がなくなりました」彼は、どういっていいか、言葉を求めていた。そして、きわめてあっさりつぶやいた。「わたくしは、ふたたびいいなずけに会うことができました……」

いま彼は、心の動揺にたえられないで、そのまま言葉を切ってしまった。

アントワーヌは、頭をさげたまま、つつしみ深く待っていた。彼は、教授の声が、たちまちはげしい苦悩のちょうしで張りあげられるのを耳にして驚いた。

「先生、わたくしには、先生が、こうしたことのあった人間をどうお考えになるかわかりません……そうした病気、そうした治療、すべてはもう十年まえの昔話、忘れられた話になっております……そして、わたくしは、すでに五十の坂を越えました……」彼は、ためいきをついた。「わたくしは一生、自分ひとりが……という気持ちから、苦しみつつづけてきたのでした。いや、どうも、とりとめのないお話をいたしまして……」

アントワーヌは目をあげた。彼には、その顔を見ないうちに、すっかりわかってしまっていた。学者たるものが、その子に心身薄弱者を持つということ、それだけでさえすでに身を切られるような苦しみだった。だが、それも次に述べるような苦しみにくらべれば、まったくとるにもたりないものだった。すなわち、父親は、自分がただひとり責任者だと思っている。しかも、悔恨に心をさいなまれながら、自分でひき起こした運命を、手をこまねいてながめている……

エルンストは、力のない声で説明をつづけた。

「しかし、わたくしはなんだか気になりました。医者にみてもらおうと思いました。ま、みてもらったようなものですな。いや、じつはみてもらわないでしまったのでした。おそるることなく真実を申しあげなければ。わたくしは、そんなことをしてもむだだと自分自身に説明しました。わたくしは、心の中に、ロール博士の言葉をくり返しました。つづいてわたくしは、間接な方法を求めました。ある日、わたくしは、友人のところでひとりの医者に会いました。わたくしは話をそのことに向けて、徹底的全治の可能性を、も一度納得させてもらいました。これですっかり、あらゆる不安を一掃することができたのでした……」

彼はふたたび口をつぐんだ。

「それにわたくしはこう思いました。《女もこの年になればもう……子供のできる心配もあるまいし……》」

嗚咽が咽喉をしめ上げた。彼は、顔を伏せずにいた。そして身動きもせず、両のこぶしをにぎりしめ、首筋をはげしくけいれんさせ、アントワーヌにも、そのふるえているのが見てとれた。涙が二滴、流れずにいるため、そのじっと見すえている眼差しはなおさらきらきら輝いていた。彼はなんとか言いたかった。そして力をふるいおこし、切れぎれな、張りさけるような声でつぶやくように言った。

「あの……子供が……ふびんでして！」

アントワーヌは、胸をしめつけられるような気持ちだった。だが、幸いなことに、彼にあっては、はげしい感動はほとんどいつも陶然とした興奮をひきおこし、それはただちに、なにごとかを決定し、動き出さずにはいられないという、奔放不羈な欲望となってあらわれるのだった。

彼は、一瞬のためらいも見せなかった。

「といって……それはいったいどうしたわけで？」彼は、おどろいたようなふりをしながら言った。

彼は、まゆを上げて、それをしかめ、話をぼんやり聞いていたため、相手が何を言おうとしているのか、ちょっと了解にくるしむといったふうをしてみせた。「いったいその……すぐに手当をされ、完全になおられたというそのことと……お子さんの――おそらくは一時的な――障害とのあいだに、どうした関係がありますかな？」

エルンストは、ぼうぜんとして彼をながめた。

アントワーヌは、にこやかな微笑で顔を輝かせた。

「なるほど、お話をうかがいますと、そうした懸念をなさるのもさすがだと思います、だが、わたしは医者なのです。ひとつ、ざっくばらんに言わせていただきましょう。科学的見地から見て、そうした懸念は、じつに……ばかばかしい限りです！」

教授は、アントワーヌのほうへ歩みよろうとするかのように立ちあがった。だが、彼は、突っ立ったまま、じっと目を見はって、身動きもしなかった。すなわち彼は、ひろく、深い内面的な生活を持ち、いったんなにか痛切に考え出すと、それをどの程度にとり扱っていいかわからず、それに全心を奪い去られるといったような男のひとりだった。いままで何年というもの、この大きな悔恨が胸にやどって以来――しかも、そのことを相談相手の妻にさえも打ちあけずにいた――きょうはじめて、ホッとした気持ち、肩の荷をおろすことができそうな希望が持てたのだった。

アントワーヌは、それらすべてを見てとっていた。だが、これ以上精確なことを聞きはじめ、相手をして、巨細にわたって、もっと手のこんだ嘘をつかせてはいけないと思って、思いきって話題を転じた。彼は、こうした、心を疲れさせるにすぎない空想に、そういつまでもかかりあっているのは無益なことだと考えたもののようだった。

「お子さんは、月たらずでお生まれになりましたか？」と、彼はとつぜんこうたずねた。

相手はまぶたをしばだたいた。

「子供が？……月たらずで？……とんでもない……」

「お産は重かったでしょうか？」

「ひじょうに重うございました」

「では、鉗子をつかってお出しでした？」

「そうなんです」

「なるほど！」アントワーヌは、重要な手がかりをつかむことができでもしたようにこう言った。

「それをうかがって、いろいろなことがわかりますな……」そして、話をさっさときりあげるため、

「ではひとつ、お子さんを拝見いたしましょう」彼は立ちあがると、客間のほうへ歩き出しながら言った。

だが、教授はいそぎ足でそのあとを追い、彼の前に立ちふさがり、彼の腕の上にその手をかけた。

「先生、ほんとでしょうか？　ほんとでしょうか？　安心させようとしておっしゃるのではないでしょうか？……ああ、先生、誓ってください……先生、どうかわたくしに誓ってください……」

アントワーヌは向き直っていいた。彼には訴えるような顔が目にはいった。そこにはすでに、信じたいというたまらない気持ちと、無限の感謝とがまじりあっていた。アントワーヌの心には、一種特別

な歓喜の気持ちがわきあがった。事をなし、事に成功した歓喜。よきことをなしたという歓喜。子供についての手当はこれから考えることとして、父については一瞬もためらうことをゆるされないのだ。なんとしてでも、この不幸な男を、そうしたむなしい絶望の中から救い出してやらなければ！

そこで彼は、その目をきっとエルンストの目の中にそそぎこんだ。そして、荘重に、低い声で言った。

「誓います」

そして、短い沈黙の後、ドアをあけた。

客間では、黒い服を身につけた年のいったひとりの婦人が、ひざのあいだに栗色の巻髪の少年をおさえつけようとして骨を折っていた。その少年の姿が、まずアントワーヌのすべての注意をひきつけた。ドアのあく音に、少年はいままで遊んでいたのをやめて、この見知らぬ人の上に、黒い大きな、利発そうな目をそそぎこんだ。それから微笑してみせた。そして、さも自分の微笑に気まずくなったというかのように、ぷんとしたようすで向こうをむいた。
アントワーヌは、母親の上に目をうつした。そのしぼんだような顔は、なんとも言えないやさしさ、さびしさに美しくひきたっていて、アントワーヌは、率直に胸を打たれて、すぐさま心にこう思った。
《そうだ……やってみるんだ……やれば必ず結果が出よう！》
「奥さん、こちらへおいでねがいましょう」

彼は、同情の思いをこめた微笑をおくった。彼は、すでにドアのところから、安心の贈り物をあたえてやりたいと思っていた。背後には、苦しそうな教授の呼吸が聞こえていた。彼は、ゆっくり落ちついた気持ちでとばりをかかげ、母親と子供の来るのを待っていた。彼の心は楽しかった。《おお、なんというりっぱな職業、ほんとになんというりっぱな職業！》と、彼は思った。

十

夕方まで、患者はあとからあとからやって来た。だがアントワーヌは、疲労にも、時のたつのにも気がつかなかった。応接間のドアをあけるごとに、彼の活動力は自然にはねあがっていた。最後の患者――それはひとりの美しい若い婦人で、腕に、どうやら完全な失明が懸念される元気な赤子をいだいていた――を送り出したとき、ふと気がつくともう八時になっているのにびっくりした。《小僧の炎腫（えんしゅ）をみてやるのがおくれたな》と、思った。《ヴェルヌイユ町には、今夜エッケのところへ行きしなに寄るとしよう》

彼は、書斎にもどり、空気を変えようと思って窓をあけた。そして、書物をいっぱい積み重ねた低いテーブルの前に歩みよった。彼は、何か食事のあいだに読むものをさがしていた。《そうそう》と、彼は思った。《エルンストの息子のために、何かたしかめてやろうと思ってたんだ》彼は、失語症に関する一九〇八年の有名な論争を読もうと思って、『神経学雑誌』の古い号を手早くひるがえした。《あの子のような場合は、きわめて定型的なやつなんだ》と、彼は思った。《トルイヤール先生に話してみよう》

彼は、トルイヤール先生の誰知らぬもののないくせのことを思いだして、愉快そうに微笑した。そして、この神経学者のもとですごした病院勤務の一年のことを思い浮かべた。《どうした風の吹きまわしであそこへはいる気になったんだろう?》と、心の中でたずねてみた。《してみると、こうした問題はよほどまえからおれの心を占めていたんだな……ことによったら、神経系統、精神系統の病気専門にやっていたら、もっと腕がふるえたのではないかしら? なにしろこの方面には未開拓なことがずいぶん残されているんだから……》とつぜん、彼の目の前にラシェルの面影が浮かんだ。どうして思い浮かんだというのだろう? なるほどラシェルは、医学的、科学的にはなんの教養もない女だったが、あらゆる心理学的問題については、きわめて深い興味を持っていた。そして彼女は、自分の中に、きょうの自分が人間について持っている熾烈な興味を展開させるため、否定することのできない役割を演じてくれたのだった。それに――自分は、きょうまでに幾度そのことを感じさせられたことだろう?――たとい短時日のあいだであれ、ラシェルに出会ったというひとつの事実は、自分をさまざまな意味において変わらせてしまっていたのだった。

彼の眼差しはぼやけ、そこにはちょっと憂わしげな色がうかがわれた。彼は突ったったまま、肩をだらりと落とし、親指と人さし指でさっきの医学雑誌をはさんで、それをぶらぶらさせていた。ラシェル……彼は、なにかしら悲痛な衝撃を感ぜずには、自分の過去を横ぎっていったあのふしぎな女性を思いだすことができなかった。あれ以来、彼女からはなんのたよりもなかった。そして、じつを言えば、彼はそのことを怪しんでもいなかった。というのは、彼女がまだ世界のどこかに生きているなど、考えてさえもいなかったからだった。気候にやられるか……あるいはツェツェ（アフリカにあって、風土病媒介の役をなす蠅の名）の犠牲になるか……何かの災難で命をおとすか、あるいは水におぼれるか、ことによったら首を絞めて殺されでもしたことか？……何はともあれ、もう生きていないであろうことだけはたしかだった。

彼は立ち上がり、雑誌を小わきにかかえて、控え室へ出て行った。そして、晩食のしたくを命じようと思ってレオンを呼んだ。そのとき、ふとフィリップ先生の言った皮肉が心に浮かんだ。ある日のこと、博士がちょっと留守にしておられたあとで、アントワーヌは、新来の患者について博士に報告した。すると博士は、じょうだん半分といったように彼の腕に手をかけながら、「どうもきみ、心配だね、きみはだんだん患者の考えかたについて熱心になっていく。そして、病気自身についてだんだんおるすになっていくらしいな！」

食卓の上では、スープ鉢から湯気があがっていた。アントワーヌは、椅子に腰をおろしながら、自分の疲れていることに気がついた。《だが、なんというりっぱな職業だろう》と、彼は思った。

胸の中には、ふたたびジゼールとの対話が思い浮かんだ。だが、手早く雑誌をひらいてその思い出を追いのけようとした。だが、だめだった。部屋の中の空気にはジゼールの名残りが感じられ、それがまるで悩ましい証拠ででもあるかのようにせまってきた。彼にはいま、この数カ月自分の頭について離れなかったいろいろなことが思い浮かんだ。ひと夏をあげて、いったいどうしてあんな根拠のない計画に夢中になれたというのだろう？　彼は、こぼたれた夢をまえにして、ちょうど芝居の大道具の残骸を前にしてでもいるような気持ちだった。それがくずれ去ったあとには、ただたよりない埃ばかりが残っていた。彼は、たいして苦しんでいなかった。いな、苦しんでなぞいなかった。ただ、誇りだけを傷つけられていた。ああしたことのすべて、それが彼には、平凡な、たわいない、自分にふさわしくないことのように思われた。

おりよく、おずおず玄関に鳴りひびいたベルの音が、彼の気持ちをまぎらしてくれた。彼はたちまちナプキンをおき、テーブル・クロースの上にこぶしをすえ、いつでも立ちあがって突発事件に対処できるような気がまえをしめしながら、耳をすました。

最初のうちは、女たちが、なにかささやきあっているようだった。と、ドアがあいた。そして、レオンが、ふたりの婦人の訪問者を、なんの遠慮もなしに部屋へ案内して来たのにびっくりさせられた。それは、チボー氏のところのふたりの召使いだった。最初暗かったので、アントワーヌにはわからなかった。だが、ふたりが駆けつけてきたように思いこんだ彼は、とつぜんすっくと立ちあがった。そして、その勢いで、椅子をばったり後方に倒した。

「いいえ、いいえ……」と、ふたりの女は、すっかりろうばいしながらさけんだ。「ごめんくださいましまし。なるたけおじゃましないようにと思って、こんな時刻にうかがいましたので！」

《てっきりおやじが死んだのかと思った》と、アントワーヌはかんたんに思った。そして、自分がすでに、そうした終焉をどの程度覚悟していたかに気がついた。頭の中には、たちまち静脈炎的障害に原因する血栓といったような、いかにもありそうな考えが浮かんでいた。そうした突発的なできごとによって、かえってだらだらな病苦からのがれることもできようと考えていた彼は、何かしら失望とでもいったような気持ちを感じた。

「かけたまえ」と、彼は言った。「ぼくは食事をつづけるからね。今夜これから往診の約束があるんだ」

ふたりの女は、腰をおろそうとしなかった。

彼女たちの母親であるジャーヌばあさんは、もう二十五年、チボー氏のところで料理女中をつとめていた。だが、いまはもう奉公するでもなく、両足は静脈瘤ではれあがり、自分でも《かけ茶碗》と言っているように、仕事からもすっかり手を引いていた。娘たちは、彼女のため、ひじかけ椅子をかまどのそばへ引きよせてやった。すると彼女は、長いあいだのならわしで、手には火かきを持ち、そして、自分がなんでも知っていることから、また、ときどきはマヨネーズをかきまぜることぐらいできることから、自分がまだひとかどお役にたつような最後の夢をいだきながら、来る日来る日をその前ですごしていた。そして、朝から晩まで、娘たちのすることに小うるさいほど口だしをしていた。娘とはいっても、ふたりとも、すでに三十の坂を越していた。姉のクロティルドはがっしりした体格で、いっしょうけんめいではあるがどうも愛想という点に欠け、おしゃべりではあるが仕事にかけてはとても熱心で、それに、長いあいだ土地の百姓のところで働いていたため、母親うつしのごつごつしたところと、それにすみにおけない口のきき方を見せていた。いま彼女は、台所の仕事を受け持っていた。姉にくらべるとずっときゃしゃなアドリエンヌのほうは、修道院で育てられ、ずっと都会にいた。彼女は、下着類とか、小唄とか、仕事机のうえのちょっとした花束とか、サン・トマ・ダキャンのお寺のすばらしいお勤めとかが好きだった。

例によって、クロティルドのほうが口を切った。

「じつは、母のことなんでございますが、三、四日まえから、とても苦しそうなんでございます。お腹の、右のほうが、とても大きくはれましたんで。夜もまったく眠れません。そして、ご不浄へまいるときには、まるで子供のようにぶつぶつ言うんでございます。それでいて、病気についてはなかなかがんこで、何ひとことロに出して申しません。若旦那さま、どうかなんでもないようなふりをしておいでいただき——ねえ、アドリエンヌ?——急に前掛けの下のこぶをひんめくってごらんいただけたらと思うのですが」

「そんなことならわけはないさ」と、アントワーヌは、手帳をとり出しながら言った。「あした、なにかきっかけをつくって台所へ行こうよ」

アドリエンヌは、姉がなにかと説明しているあいだ、アントワーヌの皿をかえ、パンかごをさし出し、いつものならわしでしきりに給仕をつとめていた。

彼女はまだ、なにひとこと口に出して言わなかった。そして、おどおどした声でこうたずねた。

「若旦那さま……このまま悪くなっていくんでございましょうか？」

《そんなに急に大きくなっていく腫れ物だとすると……》と、アントワーヌは考えた。《年が年だから、手術をするのも危険だし！》彼は、残酷とさえ思われるような精確さで、こうした場合、おこり得ると思われることのすべてを思い浮かべた。そうした腫瘍のおどろくべき発育。その害毒、その結果としていろいろ内臓器官の圧迫されていく事実……さらに恐るべき場合としては、多くの生ける屍に見られるような、あの恐ろしい、緩慢な肉体分裂の事実……

彼は、まゆをあげ、唇のあたりに沈鬱さを浮かべながら、ひきょうにも、おびえているような相手の眼差しを避けていた。それにたいしては、とても嘘がつけそうになかった。彼は、皿を押しやった。そして、あいまいな身ぶりをした。おりよく、クロティルドが、何か言わずにはいられなくなって、いち早く、彼にかわって答えてくれた。

「まえからどうのこうのって、そんなことをおっしゃるわけにはいくまいさ。なにしろ若旦那さまがごらんくだすったうえでなくっちゃ。でも、これだけは言えますすよ。あたしのなくなった亭主の母親は、十五年以上も脹満をわずらったあげく、肺炎をおこして死んじゃったのさ！」

十一

それから十五分の後、アントワーヌは、ヴェルヌイユ町三十七番地ロ号にやって来た。薄暗い小さな庭へ向かった古い建物。その七階、ガスのにおいのする廊下の入口にあたるところが、三号室の戸口だった。

ロベールが、ランプを手にしてドアをあけに来た。

「弟さんは？」

「なおりました！」

ランプの光は、彼の率直快活な、ちょっときつい、そしてませたところのある眼差しと、早熟な精力に緊張しきっている顔のすべてを、ぐっとそばから照らしだしていた。

アントワーヌは微笑を浮かべた。

「どれ、ひとつ診察しようかな！」そして、自身ランプを手にとって、どう行ったものか、見きわめようとしてランプを高くさしあげた。

部屋の中央には、オイル・クロースをかけたまるいテーブルがどっかり据えられていた。ロベールは、たしかにここで書きものをしていたにちがいない。大きな帳面がひとつ、栓をあけた細長いインキびんと高くつみかさねた皿の山のあいだに開かれていた。皿の上には、厚切りのパンがひとつ、それに馬鈴薯がふたつ、いかにもおそまつな《静物》を作りあげていた。部屋の中はきちんとしていて、ほとんど快適とさえ言えそうだった。暑かった。壁暖炉の前の小さなストーヴの上には、湯わかしがちんちんたぎっていた。アントワーヌは、部屋の奥に据えられた、高いマホガニーのベッドのほうへ歩みよった。

「寝ていたかね?」

「いいえ」

明らかに、急に目をさましたばかりの病人は、なんともないほうのひじをついてからだを起こした。そして、悪びれもせず微笑を浮かべて、大きく目をあけていた。

脈はおだやかだった。アントワーヌは、持ってきたガーゼの箱をナイト・テーブルのうえにおき、包帯をほどきはじめた。

「ストーヴの上になにが煮えているんだね?」

「お湯です」と、ロベールが笑った。「家番さんからもらったチュール(菩提樹の花をせんじた飲みもの)をこしらえようと思ったんです」そして、とつぜん彼は目をぱちぱちやってみせた。

「あげましょうか? 砂糖を入れて? ねえ」

「いや、ぼくはたくさんだ」と、アントワーヌは愉快そうに答えた。「だがね、ぼくはちょっとこれを洗うのに、煮え立った湯がほしいんだ。きれいな皿の中についでくれないか。けっこう、少しさめるまで待つことにしよう」彼は、椅子に腰をおろして、さもずっとまえからの友だちででもあるかのように、微笑しているふたりの少年をながめ入った。彼はこんなことを考えた。《率直らしいようすをしている。だが、なかなか油断できないぞ》

彼は兄のほうをふり向いた。

「だが、いったいどうしたわけなんだね、きみたちぐらいの年ごろの人が、こうやってここにふたりきりで住んでるなんて?」

あいまいな身ぶり。ちょっと、まゆを動かしてみせた。《だってしかたがないんですもの!》とでも言うかのように。

「お父さんやお母さんはどうしたね?」

「お父さんやお母さん……」と、ロベールが言った。それはまるで遠い昔の物語とでもいうようだった。「ぼくたち、おばさんといっしょに暮らしてたんです」彼は物思いに沈んだ。そして、大きなベッドをゆびさしてみせた。「ところが、おばさんは、いまからもう一年以上もまえ、八月十日の真夜中に死んじゃったんです。ぼくたちとても弱っちゃった。なあ、おまえ? ところが運よく、ぼくたちは家番さんと仲よしだったんで、家番さんが、大家さんに黙っててくれて、ぼくたちここにいられたんです」

「だって家賃は?」

「払ってます」

「誰がさ」

「ぼくたちが」

「だって、その金はどこから出るんだね？」

「かせぐんでさ。つまりぼくが。なぜって、弟には、どうもうまくいかないんで。なにか、ほかの仕事を見つけてやらなければなりますまい。いま、ブロー、ね、あのグルネル町の、あそこで働いてるんです。使い走りをして。食事なしで月四十フラン。これでは食っていけませんや、靴の底皮を替えるだけでも！」

彼は口をつぐんだ。そして、ちょうどアントワーヌが湿布をとったところだったので、それにつられてこごみこんだ。腫れ物は、ほんのわずか化膿しただけだった。腕からも腫れが引いていた。傷口の模様はきわめてよかった。

「ではきみは？」と、アントワーヌは、湿布を見せながらたずねた。

「ぼく？」

「きみはじゅうぶんかせぎがあるのかね？」

「うん、ぼく……」ロベールは、最初だらけたようなちょうしで言ったが、たちまち、元気に言ってのけた。「ぼく……ぼくはなんとかやってまさ！」

アントワーヌは、びっくりして目をあげた。そして、今度は、情熱的に、意思の強そうな小さな顔のうえの、鋭い、いささか不安をまじえた眼差しに気がついた。

少年は、みずから進んで語りたがった。生活ということ、それこそは大きな問題であり、ただひとつ価値のある問題であり、そして、彼が物を考えるようになって以来、あらゆる考えはたえずそれに向かって緊張させられていたのだった。

彼は、何から何まで話したいという一心、自分の秘密を打ちあけたいという一心から、弁舌さわやかに語りだした。

「おばさんが死んだとき、ぼくは書記をつとめていて、月に六十フランしかとっていなかったんです。でも、いまは裁判所のほうへもいってるんで、百二十フランの定収入があります。それに親玉のラミーさんが、毎朝、書記たちの来るまえに事務所のゆかをみがくことになってる蠟びき職人のかわりをさせてくれたんです。その老いぼれの怠けものは、雨のあくる日とか、人目につくところ、窓の前なんかしかふかないんでね。けっきょく、入れ替えして得をしたんでさ！……そしてぼくのほうでは、これでまた八十五フランよけいにはいる。そしてぼくには、そうした廊下みがきのスケート遊びがおもしろくって！……」彼は口笛を吹き鳴らした。「しかもそれだけではありませんや……まだまだいろんな手があってね」

彼はちょっとためらった。そして、アントワーヌが、も一度自分のほうへ顔をふり向けてくれるのを待っていた。彼は、ひと目で、相手を見てとったらしかった。だが、たしかにだいじょうぶとは思いながら、やはりなんとか前置きしておいたほうが安全だと思った。

「ぼく、こんなことお話しするのも、あなたにお話ししてまちがいないと思うからなんです。でも、どうか知らないふりをしていてくださいね？」それから声を高め、少しずつわれとわが打ちあけ話に

興奮しながら、

「あなた、マダム・ジョラン知ってるでしょう？　あなたのとこのすぐ前の、三番地ロ号の家番をしている？　ところが――誰にも言わないでくださいね――あのおばさん、ちゃんと売込み先があってタバコをこしらえてるんですよ……あなたも興味をお持ちですか？……ちがう？……でも、とてもそいつがいいんですぜ、柔らかくて、巻きがけっして固くなくって。しかも値段も安いときていて。今度、見本に持ってきましょう……が、なにしろ、そうした商売はぜったいとめられてるらしいんです。で、うまくつかまらないように、タバコを届け、お金を受けとるには委細心得てる者が必要なんです。そいつをぼくがやるんですよ。事務所がしまって、六時から八時までのあいだ、なにげないふりをしてね。それとひきかえに、おばさんは毎日、日曜をのぞいてぼくに昼食を食わせてくれます。しかもおばさん、すてきに料理がうまいんですよ。ねえ、とても経済につくでしょう？　しかもそのうえ、おとくいの人たちは――どれもこれもお金持ちでね――ほとんどいつも、お金をはらってくれながら、十スーなり、二十スーなり、時によってちがいはあっても、ぼくにチップをくれるんです……ね、そうしたやつをみんな合わせると、なんとか暮らしていけるんでさ……」

ロベールは、ちょうしづいて、なおも快活に話しつづけた。

アントワーヌは、少年の言葉のちょうしから察して、その目に、ちょっと得意らしさを浮かべているにちがいないと思った。だが、彼はわざと顔をあげなかった。

「夕方、ルイが帰ってくるとき、もうへとへとになっていましてね、ここで食事をするんです。スープだとか、あるいは卵だとかチーズだとか、たちまちできてしまうんです。そのほうが、食堂なんかで食べるより、ずっとずっと好きなんでさ。なあ、ルイ公？　それにぼく、道楽で、会計係のためにたびたび帳簿のページの上に見だしの文字を書いてやります。たのしいなあ、かっこうのいい、円形の字体で書いたきれいな見だし。道楽でなくちゃできやしないや。事務所では……」

「安全ピンをくれないか」と、アントワーヌが言葉をはさんだ。彼は、少年が口達者にしゃべり立て、自分をおもしろがらせるのに興味を持つといけないと思って、わざとむとんじゃくなふうをよそおっていた。だが、彼自身ではこんなふうに考えていた。《小わっぱども、こいつなかなか見こみがあるぞ……》

包帯ができ、まえのように腕を肩からつってやった。アントワーヌは時計を見た。

「あした、もう一度、おひるごろにやってくるからね。あとは、きみのほうからやってくるんだ。金曜か土曜になったらまた働けるようになるだろう」

「あ、あ、ありがとう！」と、やっとのことで小さい病人が言った。おどおどしているその声が、とほうもなく飛躍したかと思うと、なんともこっけいに黙りこんでしまったのを見て、ロベールは急に笑いだした。咽喉（のど）を締めつけられるような、けたたましい笑い。それはこのあまりにも神経質な少年の、そのたえまない緊張をとつぜん、うかがわせるものだった。

アントワーヌは、チョッキのポケットから二十フラン出した。

「これ、少しだけれど、今週のたしだよ！」

だが、ロベールはサッとうしろへ飛びすさった。そして、まゆをしかめながら、たちまちぐっと顔をあげた。

「ごじょうだんでしょう！　おことわりします！　いるだけのものはあるって言ったじゃありませんか！」そして、窮したあまり、むりにもそれを取らせようとするアントワーヌを納得させるため、少年は意を決して最後の秘密を打ちあけた。「ぼくたちふたり、どれくらい貯金してるか知らないでしょう？　あててごらんなさい！……千七百フラン！　ええ、そうですとも！　なあ、ルイ公？」そしてとつぜん、さもメロドラマの謀叛人とでもいったように声を落としながら、「しかも、ぼくのシステムがうまくいったら、もっとどんどんふえるんですよ……」

その目は、はげしく輝いていた。アントワーヌは、心をひかれて、思わずちょっとしきい口で立ちどまらずにはいられなかった。

「もうひとつ方法があるんでさ……ぶどう酒とか、オリーヴ油とか、そのほかいろいろな油類の仲買をやってる人と組みましてね。バスー兄弟なんでさあ、事務所の書記の。案というのはこうなんです。午後、裁判所からの帰りがけ――ねえ、いけないことはないでしょう？――カフェーとか、食品店とか、酒屋とかへ行くんです。そして注文とりをするんですよ。それには口上がかんじんでしてね。だが、それもだんだんおぼえます……なにしろ一週間で、もうそうとうなものを売り込みましたよ！　そうして、もうけが四十四フラン！　そして、バスーの言葉にしたがうと、ぼくがもう少し達者にやりさえしたら……」

アントワーヌは、七階からの階段をおりながら、ひとりで笑いつづけていた。彼の同情は、いま不動のものとなっていた。このふたりの子供のためなら、どんなことでもしてやりたかった。《なにしろ》と、彼は思った。《あまり達者にならないように、監督してやるだけの必要はあるな……》

十二

雨が降っていた。アントワーヌはタクシーをひろった。フォブール・サン・トノレに近づくにしたがって、彼の上きげんは次第次第に影をひそめ、ひたいには憂慮の色が濃くなって行った。《けりがついていてくれるといいが》彼は、きょうこれで三度め、勢いよくエッケの仕まいの階段をあがりながら考えた。彼は一瞬、自分の願いが聞きとどけられたのかと思った。戸をあけてくれた小間使いは、常とちがった目つきで彼をながめながら、いきなり彼に近づいてきてなにか言おうとした。だが、それは、ないしょで申しつかったことがあるからにほかならなかった。すなわち、奥さまは、先生がお子さまのそばへいらっしゃるまえに、ちょっとお部屋にお越しねがいたい、お耳にいれたいことがあるから、というのだった。

逃げるわけにはいかなかった。部屋にはあかあかと明かりがついており、ドアはあけはなされていた。彼は、はいってゆくなり、まくらのうえに伏せられているニコルの頭を見た。彼は近づいた。彼女は身動きもしなかった。うとうとしているのだった。それを起こすのはむざんだった。彼女は、すっかり若がえり、のびのびしたようすでやすんでいた。あらゆる懊悩、あらゆる疲れが、いま眠りの中に溶けてしまっているのだった。アントワーヌはやっと苦しみの消えた彼女の顔のうえに、はやくもこれほど満足のかげ、忘却と幸福にたいするこれほどのあこがれの見られることにぎょっとして、身動きすることもできず、息をひそめながら、じっと彼女をながめていた。とざされた真珠のようなまぶた、ふたかわになった金色のまつげのふさ、ぐったりしたようす、ものうげなようす……むき出しな美しい顔の、なんとも言えない悩ましさ！　力なく弧を描いた口、生気のない、そこにはもはや弛緩と期待だけしかうかがえないこの半びらきな唇、そこに見られるなんという魅力！　《なぜだろう？》と、アントワーヌは考えた。《眠っている女の顔には、なぜこうした蠱惑するような力があるのだろう？　いっぽう、すぐにも心をうごかさずにはいられない不純な男の同情の裏には、いったい何があるというのだろう？》

彼は、つまさきでくるりとからだを半回転させながら、足音をしのばせて部屋を出た。そして、廊下を通って、赤子のおいてある部屋のほうへ向かって行った。すでに、仕切りの壁をとおして、ひっきりなしに泣いている、しわがれた子供の声が聞こえていた。彼は、その部屋のドアの取っ手をまわし、中にはいり、ふたたびそこにある悪しき力と対するため、意思をしっかりまとめなければならなかった。

エッケは、腰をおろしたまま、部屋のまん中にすえられた揺籃（ようらん）のふちに両手をそろえ、それをおもおもしく揺り動かしていた。揺籃の向こうがわには、寝ず番の看護婦が、ヴェールのかげにうつ向いて、両手をエプロンのくぼみにそろえたまま、職業的な、疲れを知らぬしんぼう強い態度で、じっと待っていた。いっぽう、イザーク・ステュドレルは、あいかわらず麻のブルーズに身を包み、壁暖炉にもたれながら両腕を組みあわせ、片方の手で黒いひげをしごきながら突っ立っていた。

　アントワーヌのはいってきたのを見ると、看護婦は立ちあがった。だがエッケは、子供にじっと目をそそぎながら、なにも気がつかないようだった。アントワーヌは、揺籃のそばへ歩みよった。そのときはじめて、エッケは彼のほうへ顔をふり向け、ためいきをついた。アントワーヌは、夜具のうえに動いている、燃えるような小さな手をサッとつかんだ。たちまち、幼児のからだは、砂の中にもぐりこもうとするみみずのようにちぢまった。幼児の顔には赤くしまがはいっていて、耳のうしろにくっつけた氷嚢（ひょうのう）とおなじように色つやが悪かった。ニコルのそれとおなじようにブロンドの色の巻髪は、汗や湿布にぬれたのだろう、ひたいや頬のあたりにくっついていた。目はなかばとざされ、はれあがったまぶたの下には、どんよりしたひとみが、まるで死魚のそれといったように、金属的な色を見せていた。行ったり来たりの揺籃の動きが、右に、左にゆっくり頭をゆすっていた。そして、それはまた、しわがれた、小さな咽喉（のど）からもれるうめき声とちょうしを合わせていた。

　看護婦は、気をきかして聴診器を取りに立った。だが、アントワーヌは、それにおよばないという合図をした。

「ニコルの思いつきでね」と、そのときエッケは、妙なちょうし、ほとんどかん高いような声で言った。そして、アントワーヌがなんのことかわからないでいるらしいのを見ると、ゆっくりこんなふうに説明した。「あの、揺籃ね？……ニコルの思いつきなんだ……」彼は、あいまいな微笑をもらした。すっかり逆上していた彼にとっては、こうしたなんでもないことまでが、なにか特別重要なことのように思われていたのだった。

彼は、ほとんどすぐに言葉をつづけた。

「そうなんだ……七階へさがしにいったんだ……小さい揺籃を！……七階にさ。ほこりだらけになっていたっけ……こうしてゆすってやってると、はじめて少し落ちついてくるんだ」

アントワーヌは、胸を打たれたように彼を見守っていた。アントワーヌはこのとき、自分の同情がたといどれほど熾烈なものであろうと、これほどな苦悩にたいしては、とうていくらべものにならないことをさとった。彼は、エッケの腕に手をかけた。

「きみは疲れてるんだ。行って、少し横になるがいい。むやみに疲れたってなんになろう？……」

ステュドレルも力説した。

「きょうで三晩も寝ていないじゃないか！」

「聞きわけがなくっちゃあ」と、アントワーヌはうつ向きながら言った。「きみの気力が、大いに必要とされるときがくるんだ……もうすぐにだ」彼は、この不幸な友人をなんとかして揺籃のそばから離れさせてやりたい、こんな無益の苦しみを、一刻も早く睡眠の忘我の中にねむらせてやりたいという、まざまざとした欲望を感じていた。

エッケはなんとも答えなかった。彼は、あいかわらず子供をゆすりつづけていた。だが、その肩は、さもアントワーヌの言った《もうじき》の重さをひしひし感じたとでもいったように、次第次第にたれていった。それから彼は、もうそれ以上せわをやかせることなく、自分から進んで立ちあがり、看護婦にむかって、揺籃（ようらん）のそばに来てかわってくれるように手まねで知らせ、涙の頬をふこうともせず、なにか求めるとでもいったようにふりかえった。彼はアントワーヌに近づいた。そして、努力して、じっとその顔をながめた。アントワーヌは、彼の目の表情がどんなに変わっているかに驚かされた。その鋭い、きっぱりした近眼の眼差しも、いまは鈍ってしまってでもいるようだった。それは、なかなか動こうとせず、いったんどこかへそそがれると、そこにそのまま、重くぐったりとどまっていた。

エッケは、アントワーヌを見つめていた。唇は、口をあけるに先だってふるえていた。

「なんとか……なんとかしてやらなければならん」と、彼はつぶやいた。「なにしろこうして苦しんでいる……このまま苦しがらせてなんになろう？　勇気をふるって、なんとかしてやらなければ……」彼は口をつぐんで、さもステュドレルの助けを求めるとでもいうふうだった。やがて彼は、ふたたびその目を、アントワーヌのうえにおもおもしくそそいだ。「チボー君、なんとかしてやってくれていいはずなんだが……」そして、アントワーヌの答えを避けるとでもいったように、首をさげたまま、ふらつく足どりで部屋を横ぎりながら姿を消した。

アントワーヌは、しばらくのあいだ立ちすくんでいた。つづいて彼は、サッと赤くなった。とりとめないさまざまな考えが、頭の中にせめぎあっていた。

ステュドレルが、彼の肩の上に手をのせた。ステュドレルの目は、ある種の馬の目を思わせた。切れ長な、あまりにばくとした目、そして、そこにはじっとりした白目の中に、力のないひとみがゆったり泳いでいた。いま、彼の眼差しは、エッケのそれとおなじように、じっと一点を見つめ、迫ってやまない何ものかをうかがわせていた。

「どうするね？」と、ステュドレルはささやくように言った。

短い沈黙。そのあいだにふたりの考えは行きかよった。

「おれかい？」と、アントワーヌは言葉をにごして返事をした。だが彼には、ステュドレルがきっと何か説明を求めてくるにちがいないことがわかっていた。「そりゃあおれにもわかってるが……」と、彼はとつぜん言った。「だが、彼が《なんとかしてくれ》といったからって、まさかわかったふりもできやしないし！」

「しっ！……」と、ステュドレルが言った。彼は、看護婦のほうへ一瞥をあたえ、それからアントワーヌを引っぱって廊下へ出てから、ドアをしめた。

「でもきみは、ほかにぜったい手の打ちようがないと思ってるんだな？」と、彼はたずねた。

「ぜったい」

「そして、もうなんら、ぜったいになんら希望が持てないと思ってるんだな？」

「ぜったい」

「とすると?」

アントワーヌは、心の中に隠然とした動揺を感じながら、反発するような沈黙に身をかためた。

「とすると?」と、ステュドレルがはっきり言ってのけた。「もはや猶予すべき時ではない。一刻も早く終わらすべきだ!」

「同感。そうあってほしいと思っている」

「思っただけではふじゅうぶんだ」

アントワーヌは顔をあげた。そして、きっぱり言ってのけた。

「といって、それ以上にはしようがないんだ」

「ある!」

「ない!」

話が、いかにもけわしいちょうしになってきたので、ステュドレルはちょっと口をつぐんだ。

「あの注射だが……」と、彼はふたたび言葉をつづけた。「どうとはっきり言えないが……あるいは分量を増すことにでもしたら……」

アントワーヌは、きっぱり相手の言葉をさえぎった。

「言うな!」

彼は、はげしい憤怒に身をまかせていた。ステュドレルは、黙って彼をみつめていた。アントワーヌのまゆげはほとんど直線的に肉をもりあがらせ、顔の筋肉は無意識にけいれんして口のあたりを引きつらせ、骨ばった顔のうえには、皮膚と肉とのあいだに神経質なふるえがおこったとでもいうように、時おり、皮膚の波うっているのが見られた。

ほんのしばらくの時が過ぎた。

「言うな」と、アントワーヌは、さっきほど荒くない言葉つきで言った。「きみの気持ちはよくわかる。早く楽にしてやろうという気持ち、それはぼくたち誰しもが知っている。だが、それは要するに……初心者だけの感じる誘惑なんだ！　なによりたいせつなことがある。生命の尊重、これだ！　そうだ！　生命の尊重……もしきみにして長く医者をつづけていたら、たしかにぼくたちとおなじ考えになるにちがいない。おきてを守らなければならないということ……われわれの力にたいしてのひとつの制限！　もしそれがなかったら……」

「人間として考えるとき、ただひとつの制限は、良心以外にないはずだ！」

「そうだ、まさにその良心だ！　職業上の良心……よく考えてくれ！　すべての医者が、自分にそうした権利があると考えるようになったら……しかも、医者の中には、ひとりも、いいか、ひとりも……」

「だからこそだ……」と、ステュドレルは、つんざくような声で言った。

だが、アントワーヌは彼をさえぎった。

「エッケ自身にしても、こうした……苦しい、こうした……絶望的な症状に、すでに幾度となく出あっているんだ！　だが彼自身、一度だって、みずから進んで決着をつけさせようとはしなかった…

……一度だって！　フィリップ先生にしたって、リゴー先生にしたって、トルイヤール先生にしたって！　そうだ、およそ医者と名のつく以上、誰ひとり！　わかったか！　ぜったいに、だ！」

「そうか」と、ステュドレルは、荒いちょうしで吐き出すように言った。「きみたちは、みんなごりっぱなかたがたにちがいない。だがおれから見ると、どいつもこいつも大ばかやろうだ！」

彼はひと足あとへさがった。そして、天井からの電気の光に、とつぜんその顔が照らし出された。そこには、言葉以上のものが読みとられた。それは単に、憤然とした侮蔑だけではなかった。一種のいどみかかるような表情、ほとんど威嚇するようなもの、それは心にふかく決するところあるものの表情だった。

《よし》と、アントワーヌは思った。《十一時まで待って、自分で注射してやろう》

彼は、なんとも答えずに、肩をすくめてみせた。そしてふたたび部屋にもどって椅子にかけた。

たえまなくよろい戸をたたく雨の音、きちんとあいだをおいて窓のかまちの亜鉛板をたたく雨滴の音、そして、部屋の中では、たえず行ったり来たりする揺籃（ようらん）の運動と、それと歩調をあわせるかのような赤子の泣き声、それらのまじりあったさまざまなひびきが、すでに死のおとずれているこの夜の静けさのなかに、何かしら執拗な、悲痛な諧音とでもいったようなものを作りあげていた。

《さっき、おれは二度三度たてつづけにどもったな》と、アントワーヌは思った。興奮が、まだおさまらずにいたのだった。（彼にとって、こうしたことはきわめてまれにしかおこらなかった。そして、それは、自分がなにか不自然な態度に身を固めなければならないような時にだけおこるのだった。――たとえば、見とおしのききすぎるほどの病人のまえで苦しい嘘をつかなければならないようなときとか、人と話をしているうち、自分としてそれについてまだなんら確信の持てない既成観念を支持しなければならないようなときとか。）《カリフ（回教の王。ステュドレルのあだ名）のやつが悪いんだ》と、彼は思った。彼は横目で、そのカリフのやつが、壁暖炉を背にしてふたたび席につくのを見た。彼はそのとき、いまから十年まえ医学校の近所ではじめて会ったときのイザーク・ステュドレルの姿を思いだした。当時カルティエ・ラタンの連中は、ひとりのこらずこのカリフのことを、そのメディアの王さまといったようなひげのことを、そのものやわらかな声のことを、そのたくましい笑いのことを、同時にまたその熱狂的な、反発的な、短気な、まったく一本気な性質のことを知っていた。人々は、彼こそは誰にもましてはなばなしい将来を約束されているものと信じていた。ところがある日、そうした彼が、学業を放棄し、すぐ生活の道にはいったことを知らされた。そして人のうわさでは、彼は、つい最近、公金費消の結果自殺をした、銀行員だった兄の妻と遺児とを、すすんで引き受けてやったということだった。

　まえよりもしわがれた赤子の泣き声が、回想の糸を断ち切った。アントワーヌは、赤子のけいれんのぐあいを見まもりながら、運動の頻発する度合いをたしかめようと思った。だが、不規則なからだの運動からは、殺されるひなどりのぱたぱたといった以上の、何ものをもつかむことができなかった。このとき、アントワーヌの心の中には、彼がステュドレルといがみあって以来、たえずそれと戦いつづけてきた不愉快な気持ちが、たちまち苦しいまでにふくれあがってきた。危険にひんした病人の生命を救うためだったら、いかに大胆な行動に出ることも、ひとりでどんな危険を冒すこともやってのけられる彼だった。だが、こうした抜け道のない状態にゆきづまり、何ひとつ施すすべのないこうした立場に立たされ、あとはただ勝ち誇った《敵》の到来を見守っていなければならないということ、それは彼にとってがまんしようにもがまんできないことだった。それに、目下の場合、子供のたえ間ない苦闘、ろれつのまわらない泣き声、それは異常に彼の神経を揺り動かしていた。人間の苦しみ、それがごく幼いものの場合であろうと、そうしたものにはなれているはずのアントワーヌだった。それが今夜という今夜、どうしてむとんじゃくになれないのだろう？　ほかの人間の臨終にあたり、いつも見られる不可思議なことや、納得できないことが、今夜という今夜、彼にとって、まるで心がまえを忘れた人とでもいったように、なにかしら打ち越えがたい懊悩をひきおこさせているのだった。彼は、徹頭徹尾やっつけられた気持ちだった。自分自身の信頼の点において、行動、科学、生命への信頼の点において、まったくやっつけられた感じだった。それは、まるで波のように彼をのみこんでしまっていた。彼の目の前には、不吉な行列が通り過ぎていた。それは、すべて彼が不治の診断をくだした病人たちの行列だった……けさからの分だけでも、それはすでにそうとうの数にのぼっていた。病院で診察した四、五人の患者、ユゲット、エルンストの息子、盲目の赤子、そしてこの子供……もっとあったはずだ！……彼は、ひじかけ椅子から身を動かすことができず、厚い唇を牛乳でよごしている父の姿を思い浮かべた……何週間かの後、苦しみの幾日か幾晩かを重ねたすえ、あのがっしりした老人も、やはりおなじように……そうだ、あらゆるものは、すべてつぎつぎに！……そして、こうした大きな不幸には、そこになんらの理由もないのだ……《そうだ、人生は愚劣だ、人生は悪だ！》彼は、ひとりの強情な楽天家を目の前に見てでもいるように、憤然としてそう思った。そして、そうした強情な男、おろかしくもいい気になっている男、それこそとりもなおさず、つね日ごろの彼自身にほかならないのだった。

看護婦がそっと席を立った。

アントワーヌは時計を見た。注射の時刻だ……彼には、からだの位置をかえ、なにかしなければならないことがうれしかった。彼は、もうじき逃げ出せることを思って、すでに陽気な気持ちにさえなっていた。

看護婦が、必要なものを盆にのせて持ってきた。彼は、アンプレを折り、その中に針をさし込み、定量のところまで注射器をみたした。そして、アンプレの四分の三を自分でバケツの中にすててしまった。彼はステュドレルの目が、じっと自分にそそがれているのを感じた。

注射をすました彼は、子供が少し落ちついてくるのを見とどけようと、椅子に腰をおろした。やがて彼は、子供の上にうつ向きこみ、きわめて弱い脈搏をもう一度しらべてから、ぐっと声を低めて看護婦になにか指図をした。それからゆっくり立ちあがると、洗面器のところへ行ってシャボンで手を洗い、無言のまま、ステュドレルの手を握りにいった。そして部屋を出ていった。

彼は、つまさき立って歩きながら、あかあかと明かりのともされている、人けのない住まいの中を通っていった。ニコルの部屋はしまっていた。遠ざかるにしたがって、子供の泣き声は弱まっていくように思われた。彼は、そっと玄関のドアをあけ、ふたたびそれをとじた。彼は、踊り場の上に立って耳を澄ました。もう、なにも聞こえてはこなかった。彼は、深く息を吸いこんだ。そして、すばやく階段をおりていった。

外へ出ると、彼は、頭をめぐらし、暗い建物の正面をふり返ってみずにはいられなかった。そこには、まるでお祝いの晩とでもいったように、灯火に照らされたよろい戸がずらりと並んでいた。

雨は、いましがたあがったばかりだった。歩道にそっては、瀬の早い雨水がまだ流れていた。人っ子ひとり見えない往来が、見わたすかぎり光っていた。

アントワーヌは寒気をおぼえた。そして、外套の襟を立てると、足をはやめて歩いていった。

十三

この雨の音、これら雨にぬれたものの姿……彼はたちまち、涙に泣きぬれた顔を思い浮かべた。突っ立ったままのエッケと、その執拗な眼差し。——「チボー君、なんとかしてくれてもいいはずだ…

……」こうした苦しい幻想。彼は、それをどうしてもすぐに追い払うことができなかった。《父親としての感情……たとい自分がどんなに努力してみても、ぜんぜんわからない感情……》そして、彼はとつぜんジゼールのことを思った。《家庭！……子供たち……》単なる仮定。幸いなことに、実現されることのない仮定。今夜という今夜、結婚という観念は彼にとって単に尚早というばかりでなく、ばかばかしいもののように思われてきた！　《利己主義かな？》と、彼は心の中にたずねてみた。《それとも卑怯かな？》ふたたび彼の考えの向きが変わった。《いま、おれのことを卑怯だと言っているのは、それはあのカリフのやつなんだ……》彼は、そうとうじりじりした気持ちで、自分が、あのステュドレルの執拗な眼差しの下、廊下におし詰められていたときのことを思いだした。彼は、あのとき以来、自分の身のまわりに渦巻いていた無数の考えからのがれたいと思った。《卑怯者》この言葉は、彼にとってちょっと不愉快だった。彼は《臆病》という言葉を見つけた。《ステュドレルのやつ、おれを臆病だと言いやがった。ばかめ！》

彼は、エリゼー宮の前にさしかかっていた。おりから憲兵の一隊が、歩調をとりながら宮殿のまわりを一巡しおわったところだった。歩道の上に、銃尾をおろす音が聞こえていた。彼の頭の中には、それをふせぎとめようとするまもあらばこそ、まるで飛躍する夢の影にも似た一連の仮定が展開されていった。ステュドレルが看護婦を遠ざけて、ポケットから注射器を出す……看護婦がもどってきて、小児の死体に手を触れる……嫌疑、告発、埋葬不許可、死体解剖……予審判事、憲兵……《おれがすべての責任を負うことにしよう》と、彼はたちまち決心した。そして、その前を通りながら、ひとりの哨兵の姿をじろじろ見つめた。《そうであります》彼は、自分が裁判官の前にでもいるように空想しながら、いどみかかるようなちょうしで言い放った。《わたくしのしたもの以外、注射のあとは見えません。わたくしが、意識的に分量をふやして注射したのであります。まったく絶望状態でした。そしてわたくしはすべての……》彼は、肩をすくめると、微笑しながら歩度をゆるめた。《おれはばかだった》だが彼には、これで問題のけりがつくようには考えられなかった。《もしおれに、ほかのやつのやった致死的注射の責任を引きうけるだけの覚悟があるのだったら、なぜあれほどきっぱり、自分でそれをやるのをことわったか？》

彼はこれまで、はげしい、そしてちょっとした省察の努力によって、たとい解決とまではいかないにしても、せめて明らかにすることのできないような問題にぶつかったとき、いつもじりじりせずにはいられなかった。彼は、ステュドレルとの問答のこと、自分の興奮したこと、どもったことなどを思いだしていた。彼は、自分の行動についてなんらくやむところがなかったにかかわらず、自分がひとつの役割を演じ、そこに自分自身の全部、自分の本質のあるものとぴったりあわない言葉をろうしたことを考えて、なんとも不愉快な気持ちになっていた。彼の心には、そうした役割なり言葉なりが、これからの彼の物の見方なり動き方なりに反したものになるだろうという、ばくとした、だが刺しとおすような直観が生まれていた。そして、アントワーヌに、こうした内的否定の感情を追い払うことができなかったというのも、つまり、それがそうとう根づよいものであったからのことだった。というのは、彼は平素、いったん自分のしてしまったことを批判したりするようなことがなかった。彼にとって、悔恨ということはぜんぜん見も知らぬ観念だった。なるほど彼は、好んで自己分析も試みていた。そして、ここ数年来、異常な熱心さをもって自己観察をさえおこなっていた。だが、それは純然たる心理学的興味にもとづくところのものだった。自分の長所なり欠点なりを指摘するということなど、それは彼の性情と、これほど相容れないものはないのだった。

彼の頭には、ひとつの問題がわきあがった。そして、それが彼の困惑をさらに深めた。《承諾のためには、拒絶以上の意思の力が必要なのではあるまいか?》彼は平素、ふたつの決心につき、それをいろいろと考えてみたすえ、そのいずれを選ぶかに迷ったとき、そのもっとも多く意思の力を要するもののほうを選ぶのを例とした。彼は、経験上、それがほとんどいつも正しいと言いきっていた。ところが今夜という今夜、彼は、自分がやすきをえらんだこと、既成の道を進んだことを認めないではいられなかった。

彼はいま、自分が口にしたいくつかの言葉によって悩まされていた。彼は、ステュドレルにむかって《生命の尊重……》と言った。ありふれた言葉というやつ、それは警戒しすぎることのないものなのだ。《生命の尊重……》尊重? それは、あるいは迷信かもしれない……

このとき、彼の頭にはかつて心をうたれたひとつの物語が思い浮かんだ。それは、トレギヌークでの、ふたつの頭を持った赤子の話だった。

チボー一家が夏の休暇をすごしにいったブルターニュのある港町でのこと、いまからおよそ十五年ほどまえに、ひとりの漁師の女房が、みごとな、だが、はっきりふたつにわかれた頭をもった月たらずの子を生み落とした。両親は、こうした奇形児を生かしておいてくれないようにと、土地の医者にせまった。そして医者から拒絶されると、アルコール中毒の聞こえ高かった父親は、赤子のうえに飛びかかり、両手でこれをしめ殺そうとした。みんなは彼をひっとらえて、監禁しなければならなかった。村じゅうはえらい騒ぎ、間借り組の海水浴客にとっては、尽きることのない話題になった。そして、当時十六、七歳だったアントワーヌは、そのとき父とのあいだにはげしい論争をとりかわしたことをおぼえていた——それこそは、父と子との、最初の激烈ないさかいのひとつだった——つまりアントワーヌは、青年らしい単純な一徹さから、それほど運命的に不治ときまった生命である以上、即刻これを刈り取ることを医者に認めてやらなければならないことを主張した。

　彼は、そうした特殊な場合についての自分の意見が、いまもたいして変わっていないことに気がついてハッとした。そして《フィリップ先生の意見はどうだろう?》と考えてみた。それには、一点の疑いの余地がなかった。アントワーヌは、フィリップ先生が、それを刈り取るという仮定さえも思い浮かべないであろうことを認めずにはいられなかった。それだけではない。もしその不具な小児が危険にひんするようなことがあったら、先生はおそらくその哀れな生命を助けるため、ありとあらゆる手段を尽くされるにちがいなかった。リゴー先生にしても同様だ。テリニエ先生にしても、そして、ロワジーユ先生にしたって。誰にしてもだ……生命の一片だけでも存しているかぎり、そこには動かすべからざる義務がある。つまり、自分がニュー・ファウンドランド(犬の一種。人命救助の名あり)になるということなのだ……彼の耳には、鼻にかかったフィリップ先生の声が聞こえるように思われた——《そんな権

利はないのだぞ、そんな権利は！》

アントワーヌは、それにたいして反抗した。《権利？……でも先生は、わたくしとおなじように、権利とか義務とかいった観念に、どれほどの価値があるかご存じでいらっしゃると思いますが？　世の中には、自然界の法則以外なんの法則もありません。自然界の法則、そう、それこそは争うことのできないものであります。それにくらべて、いわゆる道徳上の法則のごとき、それはいったい何ものでございましょう？　つまり、何百年もまえから、われわれの中に植えつけられた一群の習慣といった程度のもの……けっきょくそれだけのもの……なるほど、昔は、人類の社会的進歩のため、そうしたものが必要だったかもしれません。しかし今日は？　そうした昔の衛生なり風紀警察なりに関する法則にたいして、われわれは今日、はたして正気で、何かしら神聖な力、ぜったい命令の資格といったようなものをあたえることができましょうか？》そして《おやじ》からなんの返事も聞かれないのを知ったアントワーヌは、肩をすくめ、両手を外套のポケットに突っこみ、向こうがわの歩道のほうへ渡っていった。

彼は、何も見ずに、たえず自分自身と議論をたたかわしながら歩みつづけて行った。《いずれにせよ、これはひとつの事実なんだ。すなわち、おれにとって道徳なんか存在しない。何々すべし。何々すべからず、善、悪。そんなものはおれにとって単なる言葉にすぎない。それはつまり、おれがほかの連中とおなじようにするためにつかう言葉であり、人と話をするばあいの便利な通貨、というにすぎない。ところで、これはおれが幾度となく認めた事実なのだが、そうしたものは、このおれ自身の心の底に、なんらそれと響きかわすような実在を持っていない。おれにはいつでもそうだった……いや、こう断言しては言いすぎかな。じつはあのとき以来……》ラシェルの面影が、サッと彼の目のまえをかすめた。《……そうだ、だが、なにしろずっとまえからなんだ》彼は、ちょっとのあいだ、自分が日常生活をいったいどういう法則にしたがっておこなっているかを、本気で調べてみようとした。だが、そこにはなにひとつ見あたらなかった。しかたなしに、彼はゆきあたりばったりに考えた。《一種の誠実さとでもいったようなものかしら?》彼はよく考えてみた。そして、考えを突きとめてみた。《あるいはむしろ、一種の明察とでもいったようなものかしら?》彼の考えは、まだはっきりしていなかった。だが、すぐに、彼はこうした発見にかなりの満足を感じた。《そうだ。もちろんこれはたいしたものではない。だが、この明察という欲求、そうだ、それは、おれが自分自身の中を検索するとき、そこに見いだされるいくつかの動かないもののひとつなのだ……おれは、自分でも気がつかずに、それによって自分のための一種の道徳的信条を作りあげてきていたらしい……つまり、こういうことになるんだな。《ぜったいの自由。ただし、はっきり見ることを忘れずに……》なるほど、これにはかなりな危険が伴うかもしれない。だが、おれは、かなりみごとにやってのけている。問題は、見る目の性質にかかっている。はっきり見ること……実験室でのような、自由な、明快な、無私な目をもって自分自身を観察すること。自分の考え方なり動き方なりを、冷然として観察すること。自分自身を、厳密に、そのままの自分として考えること。必然の結果として、自分自身をあるがままのものとして認めること……そうしたあかつき? そうだ、そうしたあかつき、自分には、すべてのことがゆるされる、と言ってよかろう。……自分が自分自身に欺かれなくなったとき、自分が自分自身のなすことを知り、そして、できるかぎりの意味において自分の行為の理由を知ったとき、すべてはたちまちゆるされるんだ！》

だが、彼はほとんどすぐに微苦笑を浮かべた。《ところで弱るのは、おれの生活を注意深く見まもるとき——善もなく悪もないはずの〈ぜったいの自由〉というやつが、じつはもっぱら、人が善と呼んでいるものの実践のほうへ向けられているらしいことなんだ。そして、そうした完全解放の結果がどういうことに帰着している？　単に一般の人たちのやっているようなことにとどまらず、さらに進んで、ありきたりの道徳によって、りっぱな人たちと呼ばれている人たちのやっているようなことをしている。その証拠は、たとえて言えば今夜の場合だ……おれは、事実上、そして自分の意思いかんにかかわらず、すべての人たちとおなじ道徳律にしたがっていたのではなかったろうか？……フィリップ先生はおそらく微笑されたにちがいない……しかもこのおれは、人間にとって、社会的動物として行動することの必要が、あらゆる個人的本能より強いものであることをみとめようとしない！　そうなると、今夜の自分の態度のごとき、どう説明したらいいのだろう？　行動と理論とが、いかに遊離し、無関係なものであり得るか、そこには信じられないほどのものがある！　つまり、おれは、心の底では、ステュドレルの言いぶんに道理があると思っている。彼にたいするおれのねちねちした駁論のごとき、つゆほどの価値もあり得ないんだ。論理的には、彼のほうが正しい。小児は、まったく無益に苦しんでいる。あの恐ろしい苦闘の結果は、ぜったい不可避のものなんだ。不可避であり、かつ切迫している。だとすると？　ちょっと考えてみさえしたら、死を早くこさせることにより、そこには利益だけしかありえない。それは単に小児のためだけではない、エッケ夫人のためにもだ。いまの母親の状態からいって、無限につづくこうした臨終の苦しみ、それには危険なしとは言われない……エッケは、たしかにそれらすべてを考えていたのだ……そして、そこにはなんら反対すべき余地がない。理論だけから言えば、そうした論理の価値についてなんら異議をゆるされない……ああ、人間が、ほとんどいつも、論理的推論だけに満足できないとはなんと奇怪なことだろう！　こういったところで、おれは何も自分の怯懦を弁護するつもりはない。おれは、自分自身をはっきりこう考えていた。自分に、今夜ああしたことを行なわせなかったというのは、けっして単なる怯懦からではなかったことがわかっている、と。そうだ、それこそは、自然界の法則とおなじように、切実な、やむにやまれぬ何ものかだった。それでいて、どうもこのおれにわからないのは……》彼は、さまざまな解釈をこころみた。ことによったら、それはあのおぼろげな観念のひとつ——彼は、そうしたものの存在を信じていた——すなわち、ふだんは明晰なわれらの考えのかげに眠っているように見えていながら、ときどき思いだしたように目をさまし、立ちあがり、命令し、何かひとつの行為をやってのけ、やがてなんの説明もなく、われらの心の深いところに姿をかくしてしまうひとつの観念とでもいったようなものではなかったろうか？　あるいはもっと単純に考えて、そこになにかしら共同体としての道徳律とでもいったものが存在していて、人間には、いちずに個人としてのみ行動することがほとんど不可能なのではないだろうか？

彼はまるで、目隠しをされ、おなじところをぐるぐるまわっているような気持ちだった。彼は、しばしば引用されるニーチェの言葉《人間は問題たるべからず、解決たるべし》といった言葉を思いだそうとつとめていた。この教えは、かつての彼にとっては明々白々なもののように考えられていたにかかわらず、一年一年、彼にはそれにしたがっていくことが不可能に感じられだしていた。これまでにも、彼には、自分の決心のいくつかが（多くの場合、それはきわめてすなおなものであり、またしばしば重大なものでもあったのだが）、彼の平素の論理と矛盾していることを認めずにはいられなかった。そして彼は、幾度となく《自分ははたして、自分の思っているような人間なのだろうか？》と、われとわが心に問いかけずにはいられなかった。それはちょうど、一瞬やみをつんざき、消えたあとではやみをさらに黒々と思わせる稲妻とでもいったように、目をくらますようにあかあかと輝き、つかのまに消え去る疑いの気持ちにほかならなかった。彼はそうした、疑いのおこるごとに、すぐにそれをしりぞけていた。そして、今夜もそれをしりぞけたのだった。

それには、あたりの情況もてつだってくれた。ちょうど彼がロワヤル町にさしかかったとき、一軒のパン屋の換気窓が、彼の顔に、まるで吐息のように熱いパンの焦げるにおいを吹きつけた。それが、彼の気持ちをパッと変えさせてくれた。彼は、あくびをした。そして、どこか明るいビヤホールでもあるまいかとさがした。とつぜん彼は、テアトル・フランセ（フランス国立劇場。コメディ・フランセーズとも称す）のところまで行き、ゼムで何か食おうという気持ちになった。それは、夜どおしあいている小さなバーで、これまでにも、夜、橋をいくつか渡って家へ帰るまえに、おりおり寄ったことのある店だった。

《それにしてもふしぎだなあ！》彼は、心の中でしばらく沈黙をつづけていたあとで、こう白状せずにはいられなかった。《いくら疑ってみても、いくら打ちこわしてみても、いくらすべてのものから脱け出してみても、そこにはいやおうなしに、どうともならないひとつのもの、いかなる疑いをもってしても傷つけることのできないひとつのものがある。つまり、人間は、理性を信ぜずにはいられないというひとつの事実だ……おれは、一時間まえから、そのみごとな証拠を見せられつづけてきた！》彼は、疲れを感じていた。そして、何かしら満たされない気持ちだった。彼は、心に落ちつきをとりもどさせてくれそうな、何かてまのかからない公理とでもいったようなものをさがしてみた。《すべては闘争だ》と、彼はめんどくさそうに言った。《これはなにも新しいことではない。そしていまおれの心におこっていることも、それは普遍的な現象、生きとし生けるもののあいだの衝突にほかならないのだ》

彼は、しばらくのあいだ、べつにこれとはっきりしたことも考えずに歩きつづけた。大通りの人ごみが近くなった。町々には、とりわけ愛想のいい辻君たちが出ばっていた。彼はそれらから、気の弱そうなようすで身をかわしていた。

そうこうするうち、彼の心のたえざる動きは、次第次第にまとまっていった。

《おれは生きている》と、彼は考えた。《これこそはひとつの事実だ、言葉をかえて言えば、おれは不断に選択し、行動している。よし、だが、ここからやみがはじまっている。すなわち、その選択なり、その行為なり、それははたして何の名によってなされるのか？　おれは何も知らない。あるいは、さっき頭に浮かんだ、あの明察の名によってであろうか？　そうではない……そんなものはほんの理屈だ！……じつを言うと、おれにあって、ひとつの決心なりひとつの行為なりが、真に明察への顧慮によってなされた事実はぜったいにない。おれが行動したとき、そこにはじめて明察が顔を出す。そして、おれのしたことを、おれに納得させてくれる……それでいて、おれは物を考えるようになって以来、——たとえば本能といったようなひとつの力によって、ほとんど絶えまなしに動かされ、その結果、これこれのものを選び、これこれの行動をしている事実を知っている。ところでだ——これがいちばんたまらない点だが、おれは、自分が、互いに矛盾し合った方向に向かって行為することのできない事実をみとめている。すなわち、すべてのことは、さもおれが、なにかしら不磨の法則にしたがってでもいるかのように、整然として行なわれている……しからばその法則とは？　それがおれにはわからないのだ！　一生の重大時期に際会し、自分の心の跳躍がおれをしてひとつの方向を選ばせ、その方向へむかって行動させるたびに、おれはむなしく、それがいかなるものの名によってであるかを考えてみた。その結果、おれはいつもまっ暗な壁にぶつかった。おれは、自分が沈着であること、しっかりしていること、正しいことを知っている——それでいて、おれは、自分があらゆる法則の外にあることを感じている。過去の思想の中にも、現代哲学の中にも、またこのおれ自身の中にも、おれは何ひとつ、自分を満足させてくれるような解答を見いだせない。おれは、自分の賛成できないあらゆる法則をはっきり知っている。それでいて、自分がそれにしたがおうというようなものは何ひとつ見いだせずにいる。おごそかに打ち立てられているあらゆる法則のうち、どれひとつ、たとい遠くからにせよ、このおれ自身にあてはまり、またこのおれ自身の行動を説明できるようなものは何ひとつなかった。それでいて、おれは前へ前へと進んでいく。ためらうことなく、だいたいのところまっすぐに、堂々とした足どりでさえ進んでいく！　なんとふしぎなことだろう！　このおれは、船足の早い一そうの船。――大胆大敵に自分の道をつづけてはいる。だが、乗組の水先案内は、かつて一度も羅針盤をもったことがなかった……人はたしかに、このおれを、ひとつの秩序に属している人間だと言うだろう！　おれ自身にも、どうもそうらしく思われる。たしかに、おれの性質はきちんとしている。だが、その秩序とはどういうものか？……なにしろ、おれは苦情を言わない。おれは満足している。おれは、いささかも、おれ以外のものになりたいなどとは思わない。おれはただ、いったいなんによっておれがこうしたものであるかを知りたいのだ。それでいて、そうした好奇心には、一抹の不安が伴う。人間誰でも、こうしたなぞをもっているのだろうか？　おれにははたして、いつの日にか、自分のなぞをとくことができるのだろうか？　これがわが法則とはっきり言える日がくるのだろうか？　何によってということが自分にわかる日がくるのだろうか？……》

彼は足を早めた。彼は、広場の向こうに、ゼムの電気看板を見つけた。そして、もう自分の腹の減っていることしか考えていなかった。

あまり大急ぎで飛びこんで行った彼は、通路に置いてあった、苦い潮水のにおいをただよわせている牡蠣（かき）のかごにつまずいた。

バーは、地下室にあった。そこへは、螺旋形の、しゃれた、いささか秘密めいた狭い階段でおりていくようになっていた。ちょうどこの時刻、バーは、台所のにおい、アルコール飲料、葉巻などのにおいでむせかえり、それを扇風器がぶんぶんかきまわしているなまぬるい空気の中に、めいめいテーブルをかかえている夜遊び連中でいっぱいだった。漆塗りのマホガニーと緑色の皮の感じが、窓のない、ぐっと細長い、天井の低いその部屋に、ちょっと船の喫煙室らしい感じをあたえていた。

アントワーヌは、一隅をえらび、ひじかけ椅子の上に外套を投げ出しながら腰をおろした。彼には、早くも、のうのうとした気持ちが生まれかけていた。するととつぜん、それと対照的に、彼は、あの赤子部屋の中で、押さえつけられながら、むなしくもがいている、汗をびっしょりかいた小さなからだのことを思いだした。彼の耳には、まるで足拍子をとってでもいるような、あのたまらない揺籃（ようらん）の動きが、まだありありと感じられた……彼は、たちまち胸苦しくなってきてからだをすくめた。

「おひとりさまでいらっしゃいますか？」

「ああ、ひとり。ロスビーフに黒パン。それにウィスキー。炭酸なしで、大きなグラスにいれてもらおう。それに、うんと冷たい水を持ってきてくれたまえ」

「スープ・オ・フロマージュ（チーズ入りのスープ）は召しあがりませんか？」

「もらおう」

ひとつひとつの食卓の上には、咽喉（のど）のかわきをうながすため、モネ・デュ・パップ（直訳すると《法王の銭》。植物の名）のような、薄く輪切りにして、塩をまぶした馬鈴薯の揚げたやつが、平らな皿の中に積まれていた。アントワーヌは、ここの名物であるスープ・オ・グリュイエール（グリュイエール・チーズのスープ）――あわを浮かべ、とろりとした、それに、玉ねぎがはいっていて焦茶色した、とろ火仕上げのスープのくるのを待ちながら、前におかれたフライ馬鈴薯をかりかりやっているこの自分が、どんなに腹をへらしているかを考えていた。

あまり遠くないところで、幾人かの人たちが立ちあがって、携帯品を持ってくるように命じていた。そのにぎやかな連中の中のひとりの若い女が、こっそりアントワーヌのほうを見た。ふたりの眼差しが行きあうと、女は、それとわからないほどの微笑をおくった。どこであった顔だろう？　日本の版画を思わせる、そのすべすべした偏平な顔。細く引かれたまゆ、わずかにしわの寄っている目。彼は、女が、みんなの気のつかないうちに、すばやくあいずをしてよこしたのをおもしろく思った。そうだ、ダニエル・ドゥ・フォンタナンのところで幾度かあったことのあるモデルだった。あの、マザリーヌ町の以前のアトリエで。彼は、きわめて暑かったある夏の午後、仕事中の彼女に会ったことまで思いだした。彼は、その時のこと、光線のぐあい、彼女のポーズ――それに、いそいでいたにもかかわらず、そこにとどまっていずにはいられなかった自分の興奮のことなどを思いだした……彼は、入口のところまで、女のあとを目で追った。ダニエルは、なんという名で呼んでいたかな？　なんだかお茶の名まえに似ていたが……姿を消すまえに、彼女はくるりとふり向いた。アントワーヌの記憶の中には、彼女のからだまでが、なにか平べったい、すべすべした、神経質なものとして残っていた……

ジゼールを愛しているとはっきり思いこんでいた数カ月のあいだ、彼の生活の中には、ほかの女たちのための場所など、ほとんど見いだすことができなかった。事実、ジャヴェンヌ夫人と手を切ってからは（この関係は二カ月つづいた。そしてその結末は、はなはだおもしろくないことになりかねなかった）、彼は恋人なしで暮らしてきた。彼は、しばらくのあいだ、焼けつくような痛恨を感じた。彼は、はこばれてきたウィスキーに唇をひたした。そして、手ずからスープ鉢の蓋を取りながら、そこから立ちのぼるすばらしいにおいを吸いこんだ。

ちょうどそのとき、入口のボーイが、四つにたたんだ一枚のしわくちゃな紙片を持ってきた。ミュージックホールのプログラムだ。そのすみには、鉛筆で走り書きされていた、

ゼムで、あしたの晩十時に？

「返事がいるのかね？」彼は、興味をおぼえながらも、当惑したようすでこうたずねた。

「いいえ。先さまはお帰りになりました」と、ボーイが答えた。

アントワーヌは、こうした誘いかけなぞ、念頭におくまいとかたく心に思いさだめていた。それでいながら、彼はその紙片をポケットにおさめ、晩食にとりかかった。

《人生って、味なもんだな》と、彼はとつぜん考えた。彼は、いろいろ楽しい考えの、その思いがけないざわめきに包まれた。《そうだ、おれは人生を愛している》と、彼は断定をくだした。そして

ちょっと考えた。《それでいて、じつのところ、このおれは誰をも必要としていない》ジゼールの思い出が、ふたたび彼の心をかすめた。彼は、たとい恋愛なぞなくっても、人生が自分をじゅうぶん幸福にしてくれていることに気がついた。彼はジゼールがイギリスへいっているあいだ、彼女から遠く離れていながらも、自分がいつも幸福だったことを心からみとめた。それに、いままでだって、女が、自分の幸福の中に大きな場所を占めていたようなことがあったろうか？　なに、ラシェル？……そう、ラシェル！　だが、もしラシェルがあのままとどまっていたとしたら、自分ははたしてどうなってていただろう？　さらに、自分は、もうああした種類の情熱からも、決定的に立ち直ってしまってはいないだろうか？……ジゼールにたいする彼の感情、今夜の彼には、もはやそれを恋と呼ぶことができそうもなかった。彼は別の言葉をさがしてみた。親しみ？……ジゼールを思う気持ちは、なおしばらくのあいだ、彼の心から離れなかった。彼は、この数カ月、自分の心におこったことをはっきりさせてみようとした。そこにはただひとつ、動かすべからざる事実があった。それは自分が、自分の考えのおもむくままに、ひとつのジゼールの姿を作りあげてしまっていたということ。そして、それは真のジゼールとは似てもつかないものであり、真のジゼールは、たとえばきょうの午後のように……だが、彼は、いつまでもこうして両者を突き合わせて考えることをやめようと思った。

彼は、水を割ったウィスキーをごくりとやり、ロスビーフにとりかかりながら、心の中に、人生はたのしいな、とくり返した。

彼にとって、人生とは、なによりもまず、あけっぴろげた、ひろびろとした空間だった。そこへ、彼のように元気な連中が勢いよく飛びこんでゆく。そして、彼が人生を愛すると言うのは、それは、みずからを愛し、みずからを信じるという意味にほかならなかった。もっとも、彼が特に自分自身の人生なるものを心の中に思い浮かべるとき、それはただみごとに整えられた練兵場、ないしいろいろな計画の無数な集まりなどといったようなものだけではなく、それは同時に、そして何よりもまず、はっきり引かれた一本の道、あやまつことなくどこかへ導いていってくれるひとつの直線、といったもののように思われていた。

彼はいま、自分が、いつも気楽にその響きにきき入っている、あの手なれた鐘を鳴らしたような気持ちがした。《チボー？》と、心の中なる声がささやいた。《三十二歳。みごとな出発のための年齢！……健康は？　無類。張りきった若い動物とでもいった手ごたえ……知能の点は？　柔軟にして果敢、不断の進歩……仕事にかけては、無尽蔵とさえ言える力……それに物質的に恵まれた環境……つまるところ、何ひとつ欠けるところなし！　弱点もなく、短所もなく、志望をさまたげる何ものもなく、さらに追い風ときている！》

彼は、足をのばして、タバコに火をつけた。志望……すでに十五歳のころから、医学は異様な魅力をもって彼をひきつけていた。今日もなお、彼はひとつの信仰とでもいったように、医学こそはあらゆる知的努力の究極であり、あらゆる知識の分野を通じ、人間二千年の模索の結果、はじめてつかむことのできた最大明白な利益として、人間の天才にひらかれたもっとも豊かな領域であると考えていた。それは、思索の方面から言っても無限の学であり、と同時に、きわめて具体的な現実の中に根をおろし、たえず人間と密接な関係に立っている学にほかならなかった。彼はことさら、このことに心をひかれていた。彼は、実験室にとじこもり、観察を顕微鏡の領分にだけ制限するような気持ちになれなかった。彼は、無数な形態をもった現実にたいし、医学が永久にこころみているあの格闘が好きなのだった。

《たいせつなのは》と、彼は考えつづけた。《それは、チボーが、さらにさらに自分のために仕事をつづけていくということ……たとえば、テリニエやボワトロのように、患者たちによって麻痺させられてしまわないこと……さまざまな実験を試み、それを見届け、その結果を整頓し、ひとつのメソッドの輪郭を引きだすための時間を持つこと……》これは、アントワーヌが、自分の将来を、もっとも偉大な大家たちのそれとおなじように考えていたからのことだった。自分は、五十にならないうちに、いくつかの発見をしてのけよう。そして、なによりもまず、自分のメソッドの基礎を確立しよう。そのメソッド、それはいまのところまだ混沌としている。だが、時あって彼にはそれが想像できるような気持ちがした。《そうだ、もうじきだ、もうじきだ……》

彼の思いは、父の死という、一種の暗い空間を踏み越えてしまっていた。踏み越えてみると、道はふたたび明るく輝いていた。彼はタバコをふかしながら、父の死を、いつも考えているのとまったくちがって、なんの恐怖もなしに、なんの悲しい気持ちもなしに考えていた。いな、むしろ、それをひとつの必要であり、待ちこがれていた解放とでもいったように、あるいは地平線の拡張とでもいったように、またみずからの飛躍のためのひとつの条件とでもいったように考えていた。いま彼の目のまえには、無数の新しいもくろみが思い浮かんでいた。《まず第一に、患者たちを選択しなければならない……からだにひまをつくらなければ……そして、研究のためには、住みこみの助手を雇うことにする。ことによったら秘書でもいい。研究相手は必要でない。年のいかない少年。なんでもわかる少年。それをおれが仕立てあげ、そして、いろいろ仕事をさせる……そうしたら、おれにはうんと勉強ができる……しゃにむにやってのけられよう……新発見もできるだろう……そうだ、おれはたしかにどえらいことをやってのけるぞ！……》彼の唇には、ちらりと微笑の影が浮かんだ。それこそは、彼を伸びのびさせている楽観的な気持ちの、その反映にほかならなかった。

彼はとつぜんタバコを投げすてた。そして、思い沈んだように考えこんだ。《考えてみるとふしぎだな。自分ではすっかり追っぱらってしまったと思っていた道徳的な考え方というやつ、ついいましがたまでそれから決定的に解放されたとばかり思っていたやつ、それがとつぜん、ふたたびおれの心の中に生まれてきている。しかもそれが、おれの心の、薄暗い、どこかわからない片すみに隠れているとでもいうならともかく、反対に、公然と、どっしりと、てこでも動かない勢いを見せて、おれの精力と、活動力のまっただ中に、おれの職業上の生活の中心に、のさばりかえっている！　いまは、言葉の遊戯をなすべきときではない。医者として、学者としてのおれは、ぜったい不屈の正しい精神を持っている。そしてこの点、おれはぜったい譲歩しないことを公言できると思っている……これらすべてに、どういうふうにしており合いをつけさせたものか？……おれとしたことが》と。彼は思った。《何をまた、いつもおり合いをつけさせることばかり考えてるんだ？》事実彼は、たちまちそれをやめてしまった。そして、はっきり物を考えることをやめた彼は、いくじなくも、いささかの疲れをまじえた陶然とした気持ちに身をゆだねた。そして、だんだん、眠気にさそわれていった。

自動車乗りのふたりの男女が、はいって来るなり、彼からあまり遠くないところに腰をおろした。ずっしりした外套を身にまとったふたりは、それをぬいで腰掛けの上に重ねた。男は年のころ二十五歳、女はそれより少し年下。なんとも言いようのない似あいの一組。ふたりとも、すらりとしてたくましく、ふたりとも褐色の髪。目ははればれとしていた。口もとは大きく、歯並みは健康で、顔は寒さに上気していた。おなじ年ごろ、おなじような健康、そして、おそらくは趣味もおなじであるにちがいない。少なくとも食欲だけはおなじだった。寄り添って腰かけながら、おなじリズムで、おそろいのサンドウィッチをわしわしたいらげていた。やがてふたりは、言いあわせたようにビールを飲みほし、毛皮の外套に腕をとおすと、言葉ひとつ、目まぜひとつかわすでもなく、踊るような足並みをそろえて出ていった。アントワーヌはじっとそのあとを見送っていた。まさにふたりは、典型的な和合、完全な夫婦といった感じを思い浮かばせるものだった。

彼はふと、部屋がもうほとんどからになっているのに気がついた。彼の眼差しは、遠くのほうの鏡の中に、ちょうど自分の頭の上にかかっている時計をもとめた。《十時十分？　いや、あれは裏返しだ。え？　やがて二時？》

彼は立ちあがり、ぼんやりした気持ちをふるいおとした。《あしたの朝、さだめしまずい顔をしているこったろうな》と、彼は、当惑したようすでこう思った。
だが、ボーイが横になって居眠りしている狭い階段をあがって行ったとき、彼の心には、とつぜん潑剌としたひとつの考えが浮かびあがり、そのあとには、きわめてはっきりしたひとつの光景が思い浮かんだ。彼はこっそり微笑をもらした。《ゼムで、あしたの晩十時に……》
彼は、一台のタクシーに飛び乗った。そして、五分すると、彼は自分の部屋へはいって行くところだった。

夕方とどいた郵便物をのせた控え室のテーブルの上に、すぐ目につくように一枚の紙がひろげられていて、レオンの筆で、こうしたことが書かれていた。

一時ごろドクトル・エッケさまからお電話。お嬢さまがおなくなりになりました。

彼は、しばらくその紙片を指のあいだに持ったまま、も一度読みなおさずにはいられなかった。《午前一時？　おれが帰ってちょっとしてからだ……ことによるとステュドレルが？　でも看護婦のまえで？　いや、そんなことはあり得ない……断じてあり得ない……とすると？　おれの注射だったかしら？　そうかもしれない……それにしてもほんの少しだったが。もっとも、脈はずいぶん弱っていた……》

驚きが引いてしまうと、あとにはホッとした気持ちだけが残った。事がはっきりきまったこと、それは、エッケ夫妻にとってずいぶんつらいことではあるにしても、少なくも、あの恐ろしい待ちかまえの気持ちだけには終止符が打てる。彼は、眠っていたニコルの顔を思いだした。やがて、ふたりには、また新しい子供が生まれることだろう。生命はあらゆるものに打ち勝ってゆく。すべての傷口は、その痕跡だけをとどめてなおってゆく。彼は、うわのそらの気持ちで郵便物を手にした。《それにしてもきのどくだな》彼は、たまらない気持ちでそう思った。《病院へゆきしなに寄ってやろう》

台所では、例の雌ねこが、絶望的な声で鳴きつづけていた。《畜生！　また今夜も眠らせないつもりだな》と、アントワーヌはうなった。と、たちまち、彼は子ねこどものことを思いだした。彼は、ドアを細めにあけてみた。雌ねこは、鳴き声を立てて、じゃれつきながら、彼の足のあいだに飛びこんできて、いきなり立ったしつこさでからだをすりつけてきた。アントワーヌは、くずかごの中をのぞいてみた。からっぽだった。

《いいか、みんな水につけて殺しちまうんだ》自分がそう言いつけたのではなかったろうか？　しかも、これまた生き物にちがいないのだ……どこに区別の理由がある？　いかなるものの名において？

彼は、肩をすくめ、目をあげて時計を見た。それからあくびをした。

《四時間しか眠れない。さあ》

彼は、まだレオンの書いた紙片を手にしていた。彼はそれをまるめると、快活に、箪笥めがけて投げつけた。

《そうそう、つめたいシャワーを浴びてやろう……チボー流というやつだ。寝るまえに、すっかり疲れを落とすんだ！》

診察　了

解説

いかなるものの名によって？

『診察』には、アントワーヌの医師としてのただ一日の生活が描き出される。正確には、午後零時半から深夜二時前までの約十三時間の出来事の詳細である。

振り返ってみると、これまでの諸巻もまた、短い期間内の出来事が重点的に採り上げられ、それらが凝縮された幾つかの場面となって連なっていたのだった。第六部『父の死』までの諸巻は、いずれもこのように、短期間に集中された、点としての場面で構成されているのである。いまそれらを概観すると次のようになる。

『灰色のノート』――一週間（一九〇四年五月初旬のある日曜日から）
『少年園』――四月の十五日間ほどと六月の数日（一九〇五年）
『美しい季節』――夏から秋にかけて（一九一〇年）
『診察』――一日（一九一三年十月十三日）
『ラ・ソレリーナ』――一週間（同年、十一月二十五日―十二月一日）

『父の死』――八日間（同年、十一月三十日―十二月七日）

このような点的な凝縮の手法によって、読者は現実感ある濃密な情景のなかに投ぜられ、作中人物たちの生活を充分に追体験すると同時に、この大河小説の長い時間の拡がりも冗漫さなしに読み進むことになる。しかしその中でも、『診察』の巻は、僅か十三時間という短い時間内の出来事、となっている。

『美しい季節』から三年の月日が経過しており、チボー家のうちにも大きな変化が起きていた。アントワーヌは自宅を改造し、新たに借り入れた隣の家をも併せて、裕福な人々を患者として迎える高級な診療所を開設している。しかし、そこにジャックの姿はない。「ジャックさんがいなくなってから……」と言う《おばさん》の言葉で、ジャックの新たな失踪が暗示されているが、そのジャックがどこでどうしているのか、誰も知るものはいない。

ジゼールも十九歳になっている。そのジゼールは二年前、つまりジャックが姿を消してから十カ月後に、ロンドンの花屋から彼女の誕生日の祝いらしいバラの花束を受けとった。その匿名の贈りもののあった日から、彼女はジャックの生存を信じ、ロンドンへ行って彼を見つけ出すことのみを希望にして生きている。しかし、ジャックの不在がジゼールの心身をこんなに疲れさせ、痩せ細らせてしまったのはなぜなのか？　ジャックとジゼールのあいだに何かがあったのか？　ジャックはなぜ、再び逃亡してしまったのか？　この謎を探偵小説的に解いてゆくのが、次巻『ラ・ソレリーナ』なのだが、いまはジャックに関するかぎり何もわかっていない。父チボー氏は、ジャックが自殺をしたものと思いこんでいる。チボー氏がこう考えるからには、父と息子のあいだにも、何かがあったのかもしれない。そしてそのチボー氏自身は病気で、一年このかた寝たきりの生活をしている。アントワーヌの考えでは、あと二カ月かせいぜい三カ月という病状である。チボー家に、世代交替の時期がきている。

このようなわけで、『診察』はアントワーヌの巻である。彼は医師としての勤めに、自負と満足感をもってあたっている。しかし医師には、患者を診察して適切な治療を施すという作業だけでは済まされぬ。心理的、道徳的な責任が託されている。たとえば、助かる見込みのない患者にはどのように対処すべきなのか。また、そのような患者を持つ親の心をどう扱うべきなのか、それがすべて医師個人の判断と処置に任されているとき、その責任は重大である。アントワーヌは十三時間のあいだに、そのようなむずかしいケースの幾つかに直面してゆく。

まず、慈善病院へでも廻したほうがよさそうな貧しい孤児の少年を、一度は断わりながら結局は診てやり、その少年の住まいにまで往診してやるという、軽いエピソードがある。ここにアントワーヌの人間性が感じられる。それは、あのラシェルとの生活がかなり利己的なアントワーヌにもたらしてくれた人間らしさ、なのかもしれない。そしてアントワーヌが二少年によせる興味は、兄のほうのロベールが見せるたくましい生活意欲への共感からきている。それがアントワーヌのエネルギッシュな処世観を喜ばせたのであろう。しかし、この兄弟の話はただ、『診察』の巻を開く導入部ほどの意味しか持っていない。

ついでアントワーヌは父親を診察する。チボー氏の病気は、ことによるともう二カ月ももたないと考えられるほどに重い。しかしアントワーヌは、そのことを素振りにも見せない。医者としての嘘をついて、父を安心させる。

沈着冷静で、人間の複雑さを呑みこんでゆけるアントワーヌは、医者という天職にふさわしい、性格的に幅とゆとりのある男である。しかし、これまで自分を上から威圧してきた父親が、いまは自分の言葉一つで一喜一憂する弱い存在となって、目の前に横たわっているのを見ると、人間の命の短さ、そのもろさが身にしみる。しかしアントワーヌは若い。そして彼は、生活意欲たくましい現実主義者である。人間生死の究極の問題は、彼にとってはまだもうすこし先までおあずけでよいのだ。ここがジャックと彼との大きな違いなのである。

アンヌ・ドゥ・バタンクールの娘ユゲットも、結核菌に背筋までを冒されている、見込みのない患者である。しかしアントワーヌはそのことを、患者には勿論、母親のアンヌにも知らせないようにする。それはアンヌの感情的な性格を考慮に入れるからで、アンヌを通して患者に不安が伝わってはならないという配慮による。だが、父親のバタンクールにだけは知らせておこう、と思うのである。(この夫婦の結婚披露宴については、『美しい季節』の前半の巻に述べられていた。)

こうした患者への対応は、世の医師たちにとって、ありふれた日常的なものにすぎないだろう。しかし、患者に不安や恐怖という余計な精神への苦痛を与えずに死なせてやるということ、これはこの小説の一つの大きな命題である肉体と精神の問題、に係わる重大事でもある。すなわち、心の苦しみを最小限にし、生きながらの死の苦しみを免除してやること、これも医師たるものの責任なのである(マルタン・デュ・ガール自身は晩年、自分の病状について、けっして医師が本当のことを知らせてくれないようにと頼んでいたそうである)。これは間接的ながら、一種の安楽死という観念につながる問題であると言えよう。そしてその安楽死の問題そのものが、医師エッケの幼児の場合となって大きくクローズ・アップされて、アントワーヌは初めて窮地に立たされる。

アントワーヌの恩師フィリップ博士は、すでにエッケの幼児が手おくれであることを見抜いている。幼児の瀕死の苦しみほど、この世でいたましいものはない。そしてそれを見守る若い両親の、もはや肉体的な限界にまできている苦悩。この母親が、ほかならぬあのニコルであることも思い出そう。疲れ果てて眠りこけているそのニコルの寝顔が、意外にもアントワーヌの男心を刺激するほどに美しい。ここにも死=情欲の結合の片鱗がうかがえる。

友人ステュドレルとエッケは、「なんとかしてやってくれ」と言って、アントワーヌに幼児への安楽死の注射をするよう求める。アントワーヌは「生命の尊重……われわれの力にたいしてのひとつの制限」を思って、逡巡する。雨の歩道を歩きながら、アントワーヌは混乱した頭で苦しい思索を巡らせる。安楽死の注射を断わったのは、自分が卑怯者だからなのか？　自然界の法則と道徳上の法則とのかねあい、善と悪との判断は何が規準になるのか、自分は自由意志に従って判断しているつもりだが、それはたんに一般の人たちとおなじ既成の道徳律に従っているだけではなかろうか？

論理的には、ステュドレルの言うように、いまは幼児を安楽死させるのが正しいのかもしれない。小児が無益に苦しんでいるだけでなく、母親のエッケ夫人もこのままでは危険だからである。だのに、どうしてその正しいはずの論理に従うことができないのか？……ここで、アントワーヌははじめて自分の日頃の行動原理についても反省を巡らし、その行動の選択が「いかなるものの名によって」なされているのかを自問する。しかし、その苦しい問いに対する答えは得られない。彼は思索をやめて、食欲をみたすためにバーに入ってゆく。そこで偶然出遇った顔見知りの女から誘惑を受けたアントワーヌは、はやくも人生の楽しさに満足感をおぼえる男になっている。

しかし帰宅してみると、エッケの娘が死んだという知らせが待っていた。ステュドレルが安楽死の注射をしたのか？　それとも自分がした注射のせいなのか？……アントワーヌは雌ねこの絶望的な鳴き声に、生まれたばかりの仔猫を全部殺せと命じていたことを思い出す。だがねこもまた人間と同じ生き物なのだ……それを殺せと命じた自分は、「いかなるものの名において」それができたのか？……

この安楽死の問題は、この『診察』の巻で解決をみることはない。しかしこの問題は、『父の死』という巻で再検討され、最終巻『エピローグ』でこの小説の締めくくりをする役を果たすことになる。そのためには、アントワーヌ自身がさらに多くの実際の体験を重ねてゆかねばならないのである。さしあたりアントワーヌは、ちょうどあのジャックがリスベットとの性愛の思い出を洗い流すために水を浴びたように、シャワーを浴びて今日一日の疲れを落とそうとする。人生究極の問題と取り組むにしては、彼の恵まれた生活には、あまりにも楽しみが多すぎるのである……

そのようなアントワーヌが、一九一三年という時点で、その翌年に迫っていた大戦のひそかな足音に耳をかそうとしなかったのも、無理のないことだったかもしれない。

人にも言えない恥ずかしい病気の治療にやってくる外交官リュメルは、いったん喋りだすときりのない饒舌の持ち主で、アントワーヌを相手にヨーロッパ情勢についての新情報をまくしたてる。それは、フランス、イギリス、ロシアの提携に対抗してドイツがオーストリアに急速に接近しているという、列強の帝国主義の摩擦からくる危険な国際情勢についての情報である。ドイツがオーストリアのバルカン政策を承認する態度に変わってきたため、「ヨーロッパ全土が自動的にバルカン紛争に引きずりこまれることになるだろう！」というのである。アントワーヌはこのちょっと滑稽な伊達男のリュメルを馬鹿にしていることもあって、ヨーロッパ各国の不穏な動きについてのその話も、ほとんど耳に入らない。

しかし、駄弁家の外交官が喋っている内容は、じつは恐ろしい現実のことだったのである。この『診察』という巻は一九一三年のある一日の出来事であるが、そうすると、第一次大戦勃発の一九一四年はすでに目の前にきていることになる。この患者リュメルの診察の場面は、とくに注目に価するエピソードとして読まれなければならない。なぜならば、この巻まで、平和な良き時代のフランスにおける二つの家庭をとりまく人々の心理研究として進められてきたこの小説に、はやくも歴史がその不気味な顔をのぞかせたのだからである。そして、リュメルの話へのアントワーヌの軽蔑したような無関心さは、体制と秩序に安住するアントワーヌというブルジョワ医師の呑気さを物語ると同時に、当時の大多数の一般フランス国民の楽観的な盲目性をも象徴していると見てよい。フランス人は十九世紀後半から、独仏関係の不断の緊張というものに慣らされすぎてきた。このためいつも、こんどもなんとかなるだろう、という考え方で過ごしてきたのである。しかしいっぽうにおいて、ドイツに対する好戦的な気運、危険な愛国主義も台頭してきていたし、それを警戒する平和主義の運動も盛り上がっていたのである。これがもしアントワーヌでなくてジャックだったら、リュメルのもたらすそうした情報に、どのように反応したであろうか？　いったいジャックは、どこでどのような生活をしているのであろう？……

店村新次

本書は2007年刊行の『チボー家の人々　5』第11刷をもとにオンデマンド印刷・製本で製作されています。

訳者：
山内義雄
（1894～1973）
1950年「チボー家の人々」により芸術院賞受賞
訳書マルタン・デュ・ガール「ジャン・バロワ」
　「チボー家のジャック」他多数

解説者：
店村新次（たなむら　しんじ）
（1919～1991）
同志社大学名誉教授，文学博士
主著「ロジェ・マルタン・デュ・ガール研究」

42

チボー家の人々　5　診察

訳　者©山内義雄（やまのうち よしお）
発行者　岩堀雅己
発行所　株式会社 白水社
東京都千代田区神田小川町 3-24
振替　00190-5-33228　〒101-0052
電話（03）3291-7811（営業部）
　　（03）3291-7821（編集部）
www.hakusuisha.co.jp

1984年 3 月20日第 1 刷発行
2023年 6 月20日第21刷発行
表紙印刷　クリエイティブ弥那
印刷・製本　大日本印刷株式会社
Printed in Japan

ISBN978-4-560-07042-0

乱丁・落丁本は送料小社負担にてお取り替えいたします。

Roger Martin Du Gard: *Les THIBAULT*